W9-CTC-556

La casa editrice, esperite le pratiche per acquisire tutti i diritti
relativi alla copertina della presente opera, rimane a disposizione
di quanti avessero comunque a vantare ragioni in proposito.

www.einaudi.it

ISBN 978-88-06-19780-3

Michela Murgia

Accabadora

Einaudi

Accabadora

A mia madre
Tutt'e due.

Capitolo primo

Fillus de anima.

È cosí che li chiamano i bambini generati due volte, dalla povertà di una donna e dalla sterilità di un'altra. Di quel secondo parto era figlia Maria Listru, frutto tardivo dell'anima di Bonaria Urrai.

Quando la vecchia si era fermata sotto la pianta del limone a parlare con sua madre Anna Teresa Listru, Maria aveva sei anni ed era l'errore dopo tre cose giuste. Le sue sorelle erano già signorine e lei giocava da sola per terra a fare una torta di fango impastata di formiche vive, con la cura di una piccola donna. Muovevano le zampe rossastre nell'impasto, morendo lente sotto i decori di fiori di campo e lo zucchero di sabbia. Nel sole violento di luglio il dolce le cresceva in mano, bello come lo sono a volte le cose cattive. Quando la bambina sollevò la testa dal fango, vide accanto a sé Tzia Bonaria Urrai in controluce che sorrideva con le mani appoggiate sul ventre magro, sazia di qualcosa che le aveva appena dato Anna Teresa Listru. Cosa fosse con esattezza, Maria lo capí solo tempo dopo.

Andò via con Tzia Bonaria quel giorno stesso, tenendo la torta di fango in una mano, e nell'altra una sporta piena di uova fresche e prezzemolo, miserabile viatico di ringraziamento.

Maria sorridendo intuiva che da qualche parte avrebbe dovuto esserci un motivo per piangere, ma non riuscí a farselo venire in mente. Si perse anche i ricordi della faccia di sua madre mentre lei si allontanava, quasi se la fosse scordata già da tempo, nel momento misterioso in cui le figlie bambine decidono da sole cosa è meglio impastare dentro il fango delle torte. Per anni ricordò invece il cielo caldo e i piedi di Tzia Bonaria nei sandali, uno che usciva e uno che si nascondeva sotto l'orlo della gonna nera, in un ballo muto di cui a fatica le gambe seguivano il ritmo.

Tzia Bonaria le diede un letto solo suo e una camera piena di santi, tutti cattivi. Lí Maria capí che il paradiso non era un posto per bambini. Due notti stette zitta vegliando con gli occhi tesi nel buio per cogliere lacrime di sangue o scintille dalle aureole. La terza notte si fece vincere dalla paura del sacro cuore col dito puntato, reso visibilmente minaccioso dal peso di tre rosari sul petto zampillante. Non resistette piú, e gridò.

Tzia Bonaria aprí la porta dopo nemmeno un minuto, trovando Maria in piedi accanto al muro che stringeva il cuscino di lana irsuta eletto a cucciolo difensore. Poi guardò la statua sanguinante, piú vicina al letto di quanto fosse sembrata mai. Prese sottobraccio la statua e la portò via senza una parola; il giorno dopo sparirono dalla credenza anche l'acquasantiera con santa Rita disegnata dentro e l'agnello mistico di gesso, riccio come un cane randagio, feroce come un leone. Maria ricominciò a dire l'*Ave* solo dopo un po', ma a bassa voce, perché la Madonna non sentisse e la prendesse sul serio nell'ora della nostra morte amen.

Quanti anni avesse Tzia Bonaria allora non era facile da capire, ma erano anni fermi da anni, come fosse invecchiata d'un balzo per sua decisione e ora aspettasse paziente di esser raggiunta dal tempo in ritardo. Maria invece era arrivata troppo tardi anche al ventre di sua madre, e sin da subito aveva fatto l'abitudine a essere l'ultimo pensiero di una famiglia che ne aveva già troppi. Invece in casa di quella donna sperimentava l'insolita sensazione di essere diventata importante. Quando la mattina si lasciava alle spalle la porta e stringeva il sussidiario verso la scuola, aveva la certezza che se si fosse voltata l'avrebbe trovata lí a guardarla, appoggiata allo stipite come a reggerne i cardini.

Maria non lo sapeva, ma era soprattutto di notte che la vecchia c'era, in quelle notti comuni senza nessun peccato a cui dare la colpa di essere svegli. Entrava nella camera silenziosamente, si sedeva davanti al letto dove lei dormiva e la fissava nel buio. In quelle notti la ragazzina, che tra i pensieri di Bonaria Urrai credeva di essere il primo, dormiva senza ancora conoscere il peso di essere l'unico.

Perché Anna Teresa Listru avesse dato la figlia minore alla vecchia, a Soreni lo si capiva anche troppo bene. Ignorando i consigli della gente di casa aveva sbagliato matrimonio, passando i successivi quindici anni a lamentarsi di quell'uomo che si era dimostrato capace di far bene una sola cosa. Con le vicine, Anna Teresa Listru amava lagnarsi di come il marito non fosse riuscito a esserle utile nemmeno in morte, avendo magari la buona grazia di crepare in guerra per lasciarle una pensione. Riformato per sua pochezza, Sisinnio Listru era finito stupidamente come era vissuto, schiacciato come un acino nel torchio sotto il trattore di Boreddu Arresi, per cui faceva ogni tanto il mezzadro. Rimasta vedova con quattro figlie femmine, Anna Teresa Listru da povera si era fatta misera, imparando a fare il bollito – diceva – anche con l'ombra del campanile. Adesso che Tzia Bonaria aveva chiesto Maria in figlia, non le sembrava vero di poter infilare tutti i giorni nella minestra anche due patate dei terreni degli Urrai. Se il prezzo era la creatura, poco male: lei di creature ne aveva ancora altre tre.

Perché invece Tzia Bonaria Urrai si fosse presa in casa la figlia di un'altra a quell'età, davvero non lo capiva nessuno. I silenzi si allungavano come ombre quando la vecchia e la bambina passavano per le vie insieme, suscitando code di discorsi a mezza voce sugli scanni del vicinato. Bainzu il tabaccaio si beava di scoprire come anche un ricco, invecchiando, avesse bisogno di due mani per farsi pulire il culo. Ma Luciana Lodine, la figlia grande dell'idraulico, non vedeva necessità di procurarsi un'erede per sopperire a quello che poteva fare qualunque serva pagata bene. Ausonia Frau, che di culi ne sapeva più di un'infermiera, amava chiudere il discorso sentenziando che neanche la volpe vuole morire sola, e a quel punto nessuno diceva più nulla.

Certo, se non fosse nata ricca, Bonaria Urrai avrebbe fatto la fine di tutte quelle rimaste senza uomo, altro che prendersi una fill'e anima. Vedova di un marito che non l'aveva mai sposata, in altre condizioni sarebbe forse stata bagassa, oppure suora di casa o di convento, con le imposte sempre chiuse e il nero addosso finché avesse avuto respiro. A rubarle l'abito da sposa era stata la guerra, anche se qualcuno in paese diceva che non era vero che Raffaele Zincu sul Piave c'era morto: più facile che, furbo com'era, avesse trovato femmina lí, e si fosse risparmiato il viaggio per venire a spiegare. Forse era questo il motivo per cui Bonaria Urrai era vecchia da quando era giovane, e nessuna notte a Maria sembrava nera come la sua gonna. Ma di vedove di mariti vivi il paese era pieno, lo sapevano le donne che sparlavano e lo sapeva anche Bonaria

Urrai, per questo quando usciva ogni mattina a prendere il pane nuovo al forno, camminava con la testa alta e non si fermava mai a parlare, tornando a casa dritta come la rima di un'ottava cantata.

In quella decisione di prendere una fill'e anima, la cosa piú difficile per Bonaria non era stata certo la curiosità della gente, ma la reazione iniziale della bambina che si era portata in casa. Dopo sei anni di notti passate a condividere l'aria di una sola stanza con le tre sorelle, era evidente che lo spazio che Maria considerava suo non andava oltre la lunghezza del braccio. L'arrivo nella casa di Bonaria Urrai sconvolse questa geografia interiore; tra quelle mura gli spazi solo suoi erano cosí ampi che la bambina ci mise alcune settimane a capire che dalle porte delle molte camere chiuse non sarebbe comparso nessuno a dire «Non toccare, questo è mio». Bonaria Urrai non fece mai l'errore di invitarla a sentirsi a casa propria, né aggiunse altre di quelle banalità che si usano per ricordare agli ospiti che in casa propria non si trovano affatto. Si limitò ad aspettare che gli spazi rimasti vuoti per anni prendessero gradualmente la forma della bambina, e quando in capo a un mese le porte delle stanze erano state tutte aperte per rimanere tali, ebbe la sensazione di non aver sbagliato a lasciar fare alla casa. Una volta che si sentí forte della nuova confidenza acquisita con quelle mura, Maria cominciò a mostrarsi via via piú curiosa della donna che l'aveva condotta a viverci.

– Di chi siete figlia voi, Tzia? – disse un giorno, con la bocca piena di minestra.

– Mio padre si chiamava Taniei Urrai, era quel signore là...

Bonaria indicò la vecchia foto brunita appesa sopra il camino, dove Daniele Urrai impettito nel corpetto di velluto dimostrava forse trent'anni, e tutto poteva sembrare alla bambina fuorché il padre della vecchia che aveva davanti. Bonaria le lesse l'incredulità sul viso roseo.

– Lí era giovane, io non ero ancora nata, – precisò.

– E mamma non ne avevate? – incalzò Maria, che evidentemente con l'idea che si potesse essere figlie di un padre non aveva particolare confidenza.

– Certo che ne avevo, si chiamava Anna. Ma è morta tanti anni fa anche lei.

– Come mio padre, – aggiunse seria Maria. – A volte lo fanno.

Bonaria rimase stupita da quella precisazione.

– Cosa?

– Lo fanno. Muoiono prima che nasciamo –. Maria la guardò paziente. Poi aggiunse malvolentieri: – Me lo ha detto Rita, la figlia di Angela Muntoni. Anche a lei suo babbo era morto prima.

Durante la spiegazione il cucchiaio si agitava nell'aria come l'archetto di un orchestrale.

– Sí, alcuni lo fanno. Ma non tutti, – disse Bonaria, osservandola con un sorriso vago.

– Non tutti, certo, – convenne Maria. – Uno almeno deve rimanere. Per i bambini. Ecco perché i genitori sono sempre due.

Bonaria annuí, infilando a sua volta il cucchiaio nella minestra, convinta di aver chiuso il discorso.

– Voi eravate due?

Bonaria finalmente capí, e senza smettere di mangiare, parlò con il tono quasi casuale che aveva usato fino a quel momento.

– Sí, eravamo due. Il mio sposo è morto anche lui.

– Oh. È morto... – fece eco Maria dopo un istante, indecisa tra il sollievo e il dispiacere.

– Sí, – fece Bonaria a sua volta seria. – A volte lo fanno.

Con il conforto di quella personale statistica, la bambina riprese a soffiare piano sulla minestra. Ogni tanto, sollevando gli occhi dai vapori del cucchiaio, incrociava quelli di Tzia Bonaria, e le veniva da sorridere.

Da quel momento, quando Bonaria usciva al mattino a comprare il pane, Maria prese ad aspettarla seduta al tavolo della cucina con i piedi ciondoloni, contando in silenzio i colpi della scarpa di gomma contro la sedia finché sapeva i numeri. Intorno a tre volte cento Tzia Bonaria tornava, e allora prima di andare a scuola mangiavano pane caldo e fichi infornati.

– Mangia Maria, che ti crescono le tette! – cosí diceva Tzia, battendosi una mano sul poco seno rimastole.

Maria ridendo mangiava i frutti a due a due, poi correva in camera con i semi dei fichi ancora tra i denti a controllare, perché tutto quello che diceva Tzia Bonaria era legge di Dio in terra. Eppure in tredici anni che visse con lei, nemmeno una volta Maria la chiamò mamma, che le madri sono una cosa diversa.

Capitolo secondo

Per qualche tempo Maria pensò che Tzia Bonaria facesse la sarta. Cuciva per molte ore di seguito, e una stanza della casa era sempre piena di scampoli e stoffe. Venivano donne a prender misure di gonne e fazzoletti, ma qualche volta anche uomini per calzoni e camicie da festa. Gli uomini Tzia Bonaria non li faceva entrare nella stanza delle stoffe, li accoglieva in sala facendoli rimanere fermi in piedi. In ginocchio con il metro di pelle si muoveva rapida come un ragno femmina, tessendo intorno a quelle prede immobili una misteriosa ragnatela di misure.

Le donne durante le misurazioni parlavano volentieri, raccontando di cose proprie attraverso quelle di altri. Gli uomini invece tacevano, cupi e come nudi davanti a quegli occhi precisi. Maria osservava, e domandava.

– L'uomo si vergogna di farsi misurare perché voi siete donna, vero?

Bonaria Urrai quella volta le indirizzò uno sguardo malizioso, strano a vedersi sulla tela stramata del volto severo.

– Macché, Mariedda! Gli uomini hanno paura, non vergogna. Lo sanno loro qual è il cappotto che temono da me –. E rideva piano, scuotendo forte la stoffa per distenderla.

Paura o no, i clienti arrivavano anche da fuori, persino da Illamari e da Luvè, prima di feste di nozze o di santi, o solo per fare un vestito nuovo alla domenica. Certi

giorni la casa sembrava un mercato, con metri di stoffa
distesi sulle spalliere delle sedie, a immaginarci pieghe
di gonne e ricami. Maria sedeva a guardare, pronta a
porgere un ago o il gesso per far segno di lunghezza su
un orlo.

Per un paio di calzoni venne una volta anche Boriccu
Silai del consorzio di miniera, con la sua serva di casa. La
ragazzina avrà avuto sedici anni, si chiamava Annagrazia
e aveva la pelle butterata, con due occhi come lumache
senza guscio. Stava contro la parete in silenzio, tenendo
dentro una busta almeno quattro metri di velluto liscio,
roba da ricchi veramente. Tzia Bonaria non si lasciò impressionare e misurò Boriccu Silai con la cura che usava
sempre, osservandogli le forme sotto la cintura con l'occhio esperto di chi dal poco capisce tutto.

– Da che parte lo portate? – chiese alla fine secondo
l'usanza dei sarti minuziosi, guardandogli la patta. Lui si
voltò verso la ragazzina appoggiata al muro, facendo un
cenno con la testa.

– A sinistra, – rispose per lui Annagrazia, fissando la
vecchia senza aggiungere altro. Bonaria sostenne per un
istante gli occhi della serva, poi lentamente cominciò a
riavvolgere il metro di pelle intorno allo stecco di legno
di limone. Boriccu aspettava risposta, ma quando parlò
Tzia Bonaria non sembrava parlare piú con lui.

– Eh, mi sa che per Sant'Ignazio non ce la faccio. Provate da Rosa Cadinu, che ha bisogno di lavoro.

Stettero fermi Boriccu Silai e Tzia Bonaria a fissarsi in
silenzio. Poi l'uomo e la sua serva di cintura lasciarono la
casa senza un saluto, che di parole ce n'erano state anche
troppe. Chiudendogli bene la porta alle spalle, Tzia Bonaria si voltò verso Maria con un sospiro stanco, rimetten-
do il metro nella tasca del grembiule sdrucito.

– Che vadano in malora, un lavoro perso... Ma di certe cose la misura esatta è meglio non conoscerla, Maria. Hai capito?

Maria capito non aveva per nulla, ma annuí lo stesso, che non tutte le cose si ascoltano per capirle subito. Del resto, allora pensava ancora che Tzia Bonaria di mestiere facesse la sarta.

La prima volta che Maria si accorse che Tzia Bonaria usciva di notte aveva otto anni, ed era mezzo inverno del 1955, da poco passata l'Epifania. Aveva avuto il permesso di stare sveglia a giocare fino al tocco dell'*Ave Maria*, poi Tzia Bonaria l'aveva accompagnata in camera per dare inizio al buio in anticipo, chiudendo le imposte e riempiendo il braciere di tizzoni e cenere calda.

– Dormi, che domani ti alzi presto per la scuola.

Quasi mai Maria cadeva subito in quella parodia di notte, a volte restando sveglia per ore a studiare le ombre create sul soffitto dalle braci morenti.

Infatti non dormiva quando udí il picchiare di mano al portale, e la voce sommessa e concitata di un uomo che parlava troppo basso per poterlo riconoscere. Immobile sotto le coperte tra le ombre rossastre, avvertí distintamente la porta del cortile aprirsi e il passo familiare di Tzia Bonaria andare e tornare in pochi minuti. Scese dal letto, incurante del pavimento freddo sotto i piedi nudi, brancolando verso la porta fino a urtare il pitale nel buio. Ancor prima che uscisse dalla camera, Tzia si era accorta che lei era sveglia

– La bambina! – ammoní a mezza voce l'uomo in ombra nell'ingresso Era alto, con le spalle ampie e un aspetto vagamente familiare, ma Maria non ebbe il tempo di dargli un'identità perché Tzia le fu subito innanzi, nera e severa nel lungo scialle di lana che usava solo quando usciva per le feste comandate. Lo teneva chiuso come uno scrigno intorno al corpo magro, celando in quel modo le forme e l'intento, quale che fosse.

– Torna in camera tua.

Maria non le vedeva il viso, e forse fu per questo che osò replicare.

– Dove andate, Tzia? Cosa succede?

– Torno presto. Tu però vai in camera tua.

Non era un invito, ed era già stato detto una volta di troppo, per di piú davanti a un estraneo. Maria arretrò in silenzio nello spiraglio della porta. Finché non la richiuse, la vecchia rimase immobile, imponendo al suo ospite lo stesso atteggiamento. Dietro la porta Maria conservò il respiro come un segreto, fino a quando non li sentí riprendere a muoversi rapidi, uscire e lasciare la casa in un silenzio sbagliato. Istupidita dal freddo attese ferma in piedi, obbedendo all'istinto di picchiare piano un dito sul legno dello stipite per contare; ma intorno a tre volte cento Bonaria Urrai non era ancora rientrata. Rassegnata, la bambina ritrovò il letto in un silenzio lontano dal sonno, finché nel tepore della stanza il sonno non giunse, vincendo anche quella distanza. Quando la vecchia tornò, Maria dormiva e non se ne accorse. Fu meglio.

Al mattino furono i suoni familiari della casa a svegliare la bambina. Le domande della notte erano evanescenti come l'odore che si levava dalla cenere tiepida. Si vestí e andò a cercarla, trovandola in piedi mentre sbatteva una pezza nell'aria, per liberarla dalla polvere e distenderne la trama sdrucita. Sembrava un uccello con una sola ala. Bonaria vide Maria e si fermò. Poi parlò.

– Non deve capitare mai piú quello che hai fatto ieri.

L'ordine giunse secco come una sferzata di stoffa e ogni domanda morí in quella minaccia. Maria comprese in quel momento che per lei da perdere potevano esserci cose piú preziose del sonno. Poi il viso della vecchia si distese, e mentre piegava la tela ormai scossa, la invitò.

– Mangia adesso, che oggi abbiamo molto da fare.

Tzia le infilò l'abitino della festa e fece altrettanto con sé, mettendo la gonna del lutto buono benché fosse un martedí senza impegno di fede. Si intrecciava i capelli grigi in piedi, con lo sguardo fisso al vetro della finestra, mentre l'ombra le ricamava sul viso una trama di giorni sottili. Tra quelle pieghe di gonna e di donna Maria intuí per la prima volta la bellezza che non era piú, e la ferí l'assenza di qualcuno che ne conservasse memoria.

– Dove andiamo, Tzia?

La vecchia velò il capo con il piú nero dei suoi fazzoletti, quello di seta dalle frange lunghe sempre pronte ad annodarsi. Poi si voltò verso di lei, con una strana espressione sul viso asciutto.

– A far visita di lutto a casa di Rachela Littorra, che le è mancato il marito. È dovere di vicinato.

Camminava lesta come sempre e Maria accanto a lei teneva il passo a stento, nonostante il suo vestitino bianco non avesse il peso della gonna lunga della vecchia. La casa del morto non era distante, ma già a centinaia di metri si sentiva il canto cupo dell'attittu. Ogni volta che si levava quel lamento dalla musicalità sguaiata, era come se ai sorenesi venissero cantati i dolori di ogni casa, quelli presenti e quelli andati, perché il lutto di una famiglia risvegliava la memoria mai sopita di tutti i singoli pianti passati. Allora le ante delle finestre del vicinato venivano accostate, rendendo ciechi al sole gli occhi delle case, e ciascuno accorreva a piangere i propri morti nel morto presente, per interposta assenza.

Il morto di quel giorno stava disteso nel letto al centro della sala d'ingresso, con i piedi calzati rivolti all'entrata. Già pronto per la terra, lo avevano vestito come per andare a una festa, con il completo scuro che aveva usato per sposarsi, quand'era magro, sano e decideva della propria vita. I bottoni tiravano sulla pancia nonostante la posizione distesa del corpo, e l'ambiente era denso dei respiri spezzati delle donne, mentre gli uomini stavano immobili contro il muro, come guardiani. L'attittadora attaccò allora un pianto simile al canto, una nota dolente che pareva sorgesse dal basso delle ginocchia flesse a terra. Le donne le fecero eco con gemiti ritmici, creando un lugubre coro a cui Tzia Bonaria non accennò nemmeno a unirsi. Disse a Maria di attendere e andò verso la vedova Rachela Littorra, che stava rannicchiata nella sedia piú accosta alla testa del morto, dondolandosi muta mentre quelle altre piangevano al suo posto. Come vide Tzia Bonaria la donna sembrò scuotersi dal torpore, levandosi in piedi in un gesto di accoglienza.

– Sorella mia stimata! Dio vi ripaghi di ogni cosa…

Per un istante l'esclamazione si sovrappose al pianto prezzolato della prefica. Il resto delle parole si spense nella lana nera dello scialle di Tzia Bonaria, dove la vedova affondò il viso con un trasporto scomposto, attirando gli sguardi dei presenti. Rachela Littorra sembrò ritrovare un po' di pudore solo quando Tzia le sussurrò qualcosa, sfiorandola in capo con una grazia che Maria non le aveva mai visto.

L'attittadora intanto aveva mutato accento, intonando una poesia improvvisata infiorita di lodi al morto. A

sentirla strillare in rima pareva non fosse mai nato un uomo migliore di Giacomo Littorra, che tutti sapevano essere stato invece uno sposo avaro, convinto che fosse virtú
esser spietato con chiunque come lo era stato il destino
con lui. Mentre la prefica piangeva e faceva il gesto di
strapparsi con i denti un brandello della manica, Maria leggeva sui volti dei presenti quel pensiero sconcio, scorren-
doli uno a uno senza alzar troppo lo sguardo.

Fu allora che lo vide, quell'uomo.

In piedi contro il muro dietro la sedia della madre, il figlio del morto aveva il cappello in mano ed era il piú alto
tra i maschi presenti. Santino Littorra teneva gli occhi fissi sul corpo rigido del padre, come fosse ipnotizzato dalle
note del dolore simulato dalla prefica. Maria riconobbe le
spalle ampie e la stessa controllata maniera di attendere
che gli aveva visto la notte precedente. Otto anni erano
pochi per comprendere tutto, ma potevano bastare per intuire che qualcosa da comprendere c'era. Tornando a casa meno di due ore dopo, Maria camminò piano come se
avesse un peso, ma forse quella fu l'ultima volta che le ca-
pitò di rimanere indietro a Tzia Bonaria lungo la strada.

Capitolo terzo

Per cinque anni Bonaria Urrai non uscí piú di notte, o Maria non se ne accorse, impegnata com'era a scoprirsi finalmente figlia legittima. In qualche maniera funzionò, perché quando la ragazzina era in quinta elementare il paese di Soreni aveva ormai accettato da tempo quello strano sodalizio; non se ne parlava piú nei bar, e anche nei discorsi sulla porta all'ora del crepuscolo la vecchia e la bambina avevano ceduto il passo a notizie piú fresche o piccanti. Senza sapere di venire loro incontro, la figlia sedicenne di Rosanna Sinnai si era gentilmente fatta mettere incinta da non si sapeva ancora chi, e questo aveva aiutato non poco il normale decorso delle malelingue. Un'altra persona, una volta cessato il mormorio alle sue spalle, si sarebbe stupita che avessero smesso cosí presto, perché in un posto dove succedevano poche cose davvero interessanti, un avvenimento come quello poteva restare attuale anche per una generazione. Ma Bonaria Urrai non poteva meravigliarsene, perché aveva lavorato sin dal primo momento alla costruzione di quella fragile normalità. L'anziana sarta si era comportata da subito come se la creatura le fosse nata dal grembo, lasciando circolare Maria per casa quando veniva qualcuno in visita, oppure portandola con sé ovunque si recasse, in modo che la gente potesse ingozzare fino a strozzarla la propria famelica curiosità sulla natura di quella filiazione elettiva. Maria invece, abituata a concepirsi soprattutto come un'insignificanza, ci aveva messo piú tempo a rendersi conto di costituire un argomento. Sua madre Anna Teresa Listru, donna affascinata dalle numerazioni in qualunque forma le si presentassero non l'aveva abituata a nient'altro che a vedersi in sequenza con le sue sorelle, secondo una formula di rito sempre identica:

«E chi è questa bella bambina?»

«È l'ultima». Oppure, semplicemente: «È la quarta».

Cosí forte era l'impronta da classifica di corsa campestre che nei primi tempi Maria si era dovuta mordere la lingua per non presentarsi a sua volta cosí, come l'ultima, o la quarta. Bonaria questo non poteva saperlo, eppure doveva averlo in qualche modo intuito, perché quando si trattava di presentarla a estranei la precedeva sempre.

«Lei è Maria».

E quell'essere semplicemente Maria doveva bastare anche a quanti avessero voluto capirne di piú. La gente di Soreni ci aveva messo un po', ma alla fine aveva afferrato l'antifona di quella misteriosa liturgia, e tutt'a un tratto era come se fosse stato sempre cosí, anima e fill'e anima, un modo meno colpevole di essere madre e figlia. Solo una volta qualcuno provò a chiedere conto a Bonaria di qualche cosa di Maria che non fosse il nome, e per molti versi quell'unico episodio fece la differenza per tutto ciò che venne dopo.

Ai bambini della quinta B non pareva cosa credibile che Maestra Luciana avesse davvero cinquant'anni, perché era troppo bella per essere vecchia, e lo era in quel modo pericoloso in cui lo sono soltanto le donne venute da fuori. Si era sposata molti anni prima con Giuseppe Meli, un proprietario terriero di Soreni che si occupava di risaie, e che spesso andava nel continente per concordare affari sull'esportazione del riso arborio sardo. Giuseppe l'aveva conosciuta cosí, quella ragazza sottile della piccola borghesia piemontese: una maestrina compita con due occhi verdi come giade, non comuni neppure tra le ragazze del suo mondo fatto a fil di perle. Luciana Tellani, sorprendendo familiari e amici, aveva accettato di seguirlo senza piú guardarsi indietro, ma nonostante insegnasse a Soreni da piú di vent'anni parlava ancora l'italiano in torinese. Molte persone in quell'arco di tempo avevano imparato a leggere e a scrivere da lei, e in cambio le avevano silenziosamente offerto la piena legittimazione come cittadina, con la gratitudine e il rispetto che spesso le persone modeste hanno per i veri maestri. La forestiera che alla fine degli anni Quaranta si era sposata con il contadino Giuseppe Meli, era ormai per Soreni solo Maestra Luciana.

La maestra aveva i capelli di un biondo giovane che sfiorava appena le spalle; non se li copriva mai neanche quando andava in chiesa, dove la sua testa chiara spiccava tra le altre come un papavero nel grano. Nonostante questo, non si poteva trovare niente di maligno da dire sul suo conto, se non che per essere una continentale non era molto piú alta della media del paese; ma se una era bionda, un difetto secondario come l'altezza glielo si perdonava facilmente, persino a Soreni. A Maria i capelli della maestra piacevano soprattutto perché erano mossi. Non lisci e attaccati alla testa come il pelo di un topo caduto nell'olio, né ricci come quelli di sua madre, cosí intricati che la mano non arrivava mai fino in fondo. I capelli di Maestra Luciana avevano un carattere morbido che andava d'accordo con qualunque vento.

– Maestra, ma vi fate la piega col ferro da stiro, per averli cosí?

– Cosa ti viene in mente, Maria… Avrei mai il tempo di metterli in piega ogni mattina, mentre voi mi aspettate in classe?

Alla maestra piaceva quella bambina dall'intelligenza un po' impertinente, e aveva accettato di buon grado la sua strana situazione familiare, aiutata dalle delucidazioni del marito e di qualcuna di quelle menti semplici sempre ansiose di spiegare le complicazioni altrui. C'era stato un unico momento di tensione, dovuto al fatto che Bonaria Urrai non era mai andata ai colloqui per verificare l'andamento scolastico di Maria. Quando il diario della bambina era tornato a casa con la richiesta di Maestra Luciana, Tzia Bonaria aveva guardato Maria con severità.

– Cos'hai combinato?

– Niente! – rispose Maria sciogliendosi il fiocco verde della divisa.

– Allora perché la maestra vuole vedermi?

– Non lo so…

– Qualcosa avrai fatto, sennò non mi chiamava.

– Non ho fatto nulla, vado anche bene: ho preso bravissima in geometria ieri!

Bonaria l'aiutò a togliersi il grembiulino nero e non indagò oltre, ma il giorno dopo si mise la gonna delle feste normali e andò da Maestra Luciana. Bussò alla porta della classe all'ora indicata, e dopo qualche secondo le due donne si trovarono una di fronte all'altra, la maestra vestita con un piccolo tailleur blu *pied-de-poule* come usavano in città, e la sarta con la sua lunga gonna tradizionale e lo scialle nero sulle spalle. Avevano non più di una decina d'anni di differenza, ma sembravano venire da generazioni diverse. Affidando i bambini alla bidella, Maestra Luciana e Bonaria si trattennero nel corridoio.

– Mi ha fatto preoccupare. Maria ha combinato qualcosa?

– No, assolutamente no. Le ho chiesto di venire solo per conoscerla, è uso che l'insegnante e i genitori si incontrino di quando in quando per scambiarsi impressioni sui progressi dei bambini...

Se Bonaria aveva notato la lievissima esitazione nella voce della piemontese, non lo diede a vedere.

– Se è solo per questo, sono qui. Cosa mi dice Maria?

– Bene, è intelligente, si applica molto. La scuola le piace, specialmente la matematica, e i compiti sono puntuali. La segue lei a casa?

– Ogni tanto, ma non sempre. A volte non ho tempo, altre volte fa cose che non so nemmeno io. Ho solo la terza elementare, non ho studiato molto.

Chiunque altro nel dire quella frase sarebbe arrossito, o non l'avrebbe detta affatto. Bonaria invece sostenne lo sguardo dell'altra con serena pacatezza, e curiosamente fu la maestra a sentirsi in dovere di trovare una giustificazione.

– Oh, ma guardi, studiare a volte non vuol dire niente, nella terza elementare di una volta si faceva il latino di una quinta liceo di oggi...

Uscirono nel giardino che circondava la scuola, e camminarono fra le aiuole fiorite senza curarsene, attente soprattutto l'una all'altra. Bonaria osservava la maestra con brevi occhiate dirette, Luciana si limitava a guardare di tanto in tanto il profilo segnato di quella donna, quando pensava di non essere vista.

– È strano sa, questa cosa del figlio d'anima...

– Perché è strano? – il tono di Bonaria era inespressivo.

– Maria non sembra averne affatto risentito. Vede spesso la sua famiglia d'origine?

– Sí. ogni volta che lo chiede. Perché doveva risentirne?

Luciana Tellani rispose di getto, come se quella frase se la fosse rimuginata da molto prima, nell'attesa che la vecchia si presentasse all'appuntamento.

– Non lo so, è che mi sorprende che per esempio, quando le chiedo di fare un disegno dei suoi genitori, Maria disegni lei, e non la vera madre...

Bonaria non mostrò sorpresa a quella rivelazione, e rimase in un silenzio che invitò l'altra a proseguire imbarazzata.

– Be', è che mi sembra una cosa cosí insolita che una bambina venga sottratta... consensualmente, per carità, ma comunque che venga via dalla famiglia cosí, senza mostrare traumi...

– Non è strano, in questa zona succede ogni tanto, se va a Genari ci sono almeno tre fillus de anima, una ha all'incirca l'età di Maria –. Bonaria si fermò per ribadire il concetto: – Non è strano.

La piemontese non sembrò convinta, ma lí per lí non aggiunse altro. Fecero scivolare il discorso sui risultati scolastici meno brillanti della bambina, e una volta tornate alla porta della classe la maestra fece per congedarsi. Ma Bonaria aveva un'ultima domanda.

– Volevo chiederle, a proposito dei disegni che fa Maria... cosa intende esattamente quando dice che dovrebbe disegnare la vera madre?

La maestra rimase interdetta, dallo sguardo piú ancora che dalle parole dell'anziana sarta.

– Non mi fraintenda, mi riferivo alla madre naturale, non volevo certo svilire il vostro rapporto...

– La madre naturale, per Maria, è quella che lei disegna quando le chiedono di disegnare sua madre.

Forse fu il tono della vecchia, cosí lieve e pacato. O forse lo sguardo, assolutamente vitreo su di lei, come se le guardasse attraverso. In ogni modo, Maestra Luciana reputò piú saggio non replicare, stringendo le labbra in una rigida parodia di sorriso. Le due donne si separarono in un silenzio reso pesante da una tensione ambivalente: una di loro rimpiangeva di non aver detto abbastanza, proprio dove l'altra era convinta di aver sentito anche troppo.

Quella sera prima di cena Bonaria ascoltò un po' la radio, mentre Maria seduta davanti al camino giocava con un vecchio abbecedario, ordinando con cura le piastrine figurate da inserire nelle caselle giuste. Ne mancava qualcuna, andata persa nei primi anni di scuola, quando gli oggetti e il loro nome erano misteri non ancora separati dalla violenza sottile dell'analisi logica.

– Cosa vi doveva dire la maestra?

– Niente di importante, avevi ragione tu.

– Siete rimaste insieme molto, però…

– Abbiamo visitato il cortile. Ci sono dei gerani screziati che non avevo mai visto prima.

Maria infilò le ultime tessere nella loro sede, comprendendo che qualunque cosa si fossero dette Tzia e la maestra quel mattino, non era in quel modo che sarebbe riuscita a saperlo.

– Vi ha detto che vado bene, però?

– No, mi ha detto che per la tua intelligenza non ti impegni abbastanza, e che potresti fare molto di piú.

La ragazzina sgranò gli occhi, incredula. Bonaria rimase serissima, l'orecchio appoggiato all'altoparlante della radio che trasmetteva musica classica, chiudendo gli occhi per celare lo sguardo al viso indagatore di Maria.

– Non è possibile. Mi dice sempre che sono brava. La piú brava!

– La piú brava è la figlia di Giovanni Lai, lo sa tutto il paese. La maestra dice che tu invece passi tutto il tempo a disegnare, che non ti piace la grammatica e che chiacchieri continuamente con Andría Bastíu.

– Non è vero che passo tutto il tempo a disegnare! Solo un po'.

Bonaria sorrise impercettibilmente.

– Ma è vero che chiacchieri e che non studi bene la grammatica.

– Tanto l'italiano non serve a niente.

– Come sarebbe a dire che non serve?

– Fuori da scuola parliamo tutti in sardo. Anche voi parlate in sardo, e le mie sorelle, e Andría. Tutti!

La vecchia sarta era già a conoscenza di quella comune avversione dei bambini di Soreni per la lingua italiana, come lo sapeva ogni madre del paese. Alcune avevano persino smesso di parlare ai figli in sardo per quel motivo, affrontando la nuova lingua con risultati spesso piú comici che efficaci.

– Anche se qui tutti ti capiscono in sardo, l'italiano bisogna saperlo, perché nella vita non si sa mai. La Sardegna è sempre in Italia.

– Non è vero che è in Italia, siamo staccati! L'ho visto nella cartina. C'è il mare, – sentenziò Maria sicura di sé.

Bonaria non si fece prendere in contropiede da quello sfoggio di sapere geografico.

– Maria, tu di chi sei figlia?

La ragazzina non se lo aspettava. Tacque per un attimo, cercando la trappola nella domanda, poi si buttò sul sicuro.

– Di Anna Teresa e Sisinnio Listru…

– Giusto. E però dove vivi?

Stavolta Maria intuí la trappola, e prese tempo.

– A Soreni vivo.

– Maria, – la ammoní Bonaria inarcando le sopracciglia. La ragazzina dovette cedere.

– ... Vivo qui con voi, Tzia.

– Quindi vivi staccata da tua madre, ma sei sempre sua figlia. È cosí? Non vivete insieme, ma siete madre e figlia

Maria tacque, un po' umiliata, abbassando gli occhi sulle ginocchia per consolarsi con l'abbecedario, dove ogni cosa aveva un suo comodo posto, e solo uno. Il sussurro arrivò lieve come un soffio.

– Siamo mamma e figlia, sí... ma non proprio una famiglia. Se eravamo una famiglia, non si metteva d'accordo con voi... cioè, io credo che voi siete la mia famiglia. Perché noi siamo piú vicine.

Stavolta fu Bonaria a tacere per qualche momento. La musica classica che continuava a venire dalla radio non impediva al silenzio di sentirsi. Quando parlò di nuovo, aveva cambiato ancora tattica.

– Mi fa piacere che dici questo, ma non c'entra... perché lo sai bene che Arrafiei mi è morto in guerra nelle trincee del Piave. E quella guerra la faceva l'Italia, mica la Sardegna. Quando si muore per una terra, quella terra diventa per forza la tua. Nessuno muore per una terra che non è la sua, se non è stupido.

Maria non aveva nessun'arma da opporre a quella logica, né consolazione per un dolore cosí forte da conservare ancora memoria di sé dopo quarant'anni. Lo vide brillare come un lumino negli occhi di Bonaria, la sola tomba dove il disperso Raffaele Zincu non aveva mai smesso di essere pianto. Mormorò confusamente:

– Cosa volete dirmi, Tzia... che io diventerò veramente vostra figlia solo quando sarò morta?

Bonaria scoppiò a ridere, spezzando la tensione rivelata senza pudore dalla domanda di Maria. Con un gesto istintivo prese la testa della ragazzina e se la strinse al grembo, come per scaldarla.

– Sciocca che sei, Mariedda Listru! Tu sei diventata mia figlia nel momento stesso in cui ti ho visto, e non sapevi ancora nemmeno chi ero. Però devi studiare l'italiano bene, questo te lo chiedo come una grazia.

– Perché, Tzia...

– Perché Arrafiei era andato sulla neve del Piave con scarpe leggere che non servivano, e tu invece devi essere pronta. Italia o non Italia, tu dalle guerre devi tornare, figlia mia.

Non l'aveva mai chiamata cosí, e non lo fece mai piú in quel modo. Ma a Maria quel piacere denso, cosí simile a un dolore in bocca, rimase impresso per molto tempo.

Capitolo quarto

Se è vero che la terra parla di chi la possiede, le colline della campagna di Soreni erano un discorso complicato. Gli appezzamenti piccoli e irregolari raccontavano di famiglie con troppi figli e nessuna intesa, frantumate in una miriade di confini fatti a muretto a secco in basalto nero, ciascuno con il suo astio a tenerlo su.

Il terreno dei Bastíu era appena un po' piú grande dei suoi confinanti, perché per volere di Dio negli anni c'erano stati piú testamenti che eredi.

Nella vigna sulla collina chiamata Pran'e boe, erano le dieci di un mattino tiepido di ottobre quando la mano di Andría Bastíu si posò impacciata sul polso sottile di Maria, arrestando il movimento delle cesoie.

– Attenta a non mettere la mano lí!

– Perché, cosa c'è?

– La tela dell'àrgia.

– Mica ho paura dei ragni.

– Perché non ne conosci, – disse lui, serio. – Sai che se ti morde l'àrgia ti coprono di letame e ti fanno ballare intorno sette donne, prima vedove, poi zitelle e poi sposate, finché non si scopre com'era il ragno?

– Ma chi te le racconta queste fesserie, Andrí? – ridendo Maria tagliò via il grosso grappolo e lo sistemò con cura nel secchio di plastica, scuotendo la testa avvolta in un fazzoletto a fiori gialli, sbiaditi dalle vendemmie precedenti.

La vigna dei Bastíu erano duemila viti di uva scura con gli acini grossi come uova di quaglia. A schiacciarli veniva fuori un succo nero che sembrava sangue cotto di porco, ed era dolce ıguale. I due ragazzi si erano divisi il lavoro in base alle forze, gareggiando in velocità con gli adulti del filare parallelo.

– Guarda che è vero, quando mio babbo era piccolo è successo a lui. Mi ha detto che l'hanno dovuto far sudare per due ore dentro il monticello di merda, sennò era spacciato.

– Tuo babbo non è quello che è morto due volte in guerra? E tu invece sei quello che se ti mandano a comprare un etto di niente in polvere, scommetto che ci vai.

Maria seguitò a recidere i grappoli, canzonando Andría con la danza degli occhi vivaci. Il ragazzo arrossí sotto il sole, abbassando lo sguardo al secchio quasi pieno. Coetanei o no, con quel sorriso adulto tra le labbra rosse di uva, Maria era sempre la piú brava a trovare le parole per farlo sentire piccolo.

– Lo vado a svuotare al carro...

– Eh, portalo va', che io intanto vado a bere. E attento all'àrgia, che sette matte che ballino sulla cacca di mucca per salvare te, mica sono sicura che le trovo!

La vendemmia andava cominciata e finita tutta nello stesso giorno, e per farlo ci volevano almeno sei persone che tagliassero i grappoli spogliando in fretta i filari lungo la linea della collina. I Bastíu partivano quando il sole non si era ancora deciso, e anche le figlie di Anna Teresa Listru partivano con loro, perché il vino poi lo si divideva. La vedova Listru ci doveva fare il miracolo di Cana, era solita dire quando lo vendeva ai vicini. «Gesú Cristo faceva vino dall'acqua, e io faccio pane dal vino».

Maria aspettava per tutta l'estate che la chiamassero ad

aiutare, perché le piaceva fare a gara con Andría. Non si
sapeva mai di preciso quando la vendemmia sarebbe cominciata, perché era il vecchio cieco Chicchinu Bastíu a
dire qual era il momento giusto, cioè esattamente il giorno prima che si sentisse nell'aria l'odore dell'uva pronta a
far mosto. I nipoti lo portavano al campo tutti i giorni, e
lui solenne annusava a occhi chiusi il vento lieve che ve-
nendo dal mare sfiorava la vigna. Nell'onda d'aria che
scuoteva le foglie e frugava tra le pieghe fitte dei grappoli, il vecchio sosteneva di percepire la voce del vino che
doveva nascere, come una levatrice esperta. Maria quella
leggenda non si stancava mai di sentirla.

– È capace di indovinare sempre il giorno esatto, dicono! – aveva rivelato a Tzia Bonaria, nel tentativo di stu-
pirla con quel misterioso potere divinatorio. La vecchia
l'aveva guardata con un mezzo sorriso, non particolarmente impressionata.

– Eh… Chicchinu Bastíu e il mosto hanno confidenza.
Con il naso sempre nel bicchiere, vuoi che non gli ricono-
sca l'odore.

Gli occhi della ragazzina si erano dilatati, mentre il sospetto incrinava la certezza del prodigio.

– Dite che imbroglia, allora?

– Ne rimane di uva nel campo fino al giorno dopo?

– No, la cogliamo sempre tutta prima del tramonto.

– Allora non imbroglia –. E Tzia Bonaria, senza curarsi di nascondere la risata, era tornata con gli occhi sul cucito. Sapendo che le piaceva, la vendemmia con i Bastíu
era una delle poche occasioni in cui permetteva a Maria di
saltare la scuola.

Nel tempo che Andría ci mise ad andare a svuotare il
secchio, Maria fece il suo tentativo di capire i misteri del-

l'aria di una vigna. Tuffò un grappolo grasso nell'acqua del catino alla fine del filare, sollevandolo due volte piú pesante. Affondò la faccia tra gli acini, annusando ferocemente alla rice ca del nascondiglio segreto. Un acino marcio aveva fermentato al sole, ma tolto quello non restava che l'odore comune dell'uva matura, molto piú vicino a un colore che a un profumo. Delusa, si consolò addentando un frutto tiepido, mentre guardava distratta le teste degli altri spuntare dai filari, alternate.

Il rumore venne da dietro, vicino al muretto. Dapprima era solo un mugolio, un lamento soffocato, poi un verso piú preciso. Maria si voltò nella direzione da cui sembrava provenire, spezzando l'erba secca con i passi rapidi. Il muretto piangeva. Maria ne percorse la linea irregolare per qualche metro, senza trovare nulla che smentisse quell'impressione. Il verso flebile arrivava proprio dalle pietre sovrapposte.

– Maria, sono tornato! – la voce impaziente di Andría la raggiunse dal filare, ma la ragazza non gli diede retta. Muovendosi circospetta, seguiva la direttrice del confine con attenzione.

– Aspetta, sto guardando una cosa.

Maria si fermò nel punto esatto da cui usciva il suono e fissò il muretto in silenzio. Il sole si era già stancato delle vigne e scendeva rapido, proiettando sul terreno ombre gigantesche e deformi. Quella di Andría, sgraziata, si affiancò alla sua.

– Che cosa stai facendo? Gli altri hanno quasi finito…

Lei con il dito sulle labbra gli fece cenno di tacere, indicando il muretto.

– Ascolta.

Il lamento giunse subito, nuovamente lieve e stentato, ma chiaro a sufficienza da far dilatare stupore anche sul viso ancora infantile del ragazzo. Nel giro di pochi minuti le sorelle Listru e tutti i Bastíu erano davanti al muretto a sentirne il pianto, dimentichi che c'era una vigna da spogliare prima del tramonto. Bonacatta si teneva prudentemente a qualche passo di distanza, sussultando a ogni gemito che proveniva dalle pietre nere, mentre Regina e Giulia si limitavano a guardare in silenzio, indirizzando occhiate ansiose verso Salvatore Bastíu e la moglie. I due discutevano, fissando il muro perplessi.

- È qualche anima in penitenza, – ipotizzò Giannina Bastíu segnandosi piamente, – *requiemeternadonaeiusdomine*…

Al muro sfuggí in risposta un singhiozzo acuto. Salvatore scosse il capo, poco convinto.

– No che non è un cristiano, questo. Est unu dimoniu! Bisogna chiamare a don Frantziscu e farci benedire il campo domani stesso, sennò quest'anno buttiamo il vino.

Nicola Bastíu sembrava poco interessato alle dispute teologiche dei genitori. Muovendosi per terra come un cinghiale, esaminava la base del muretto a secco esplorando attento le fessure tra i massi, con le dita sporche e la fronte aggrottata. A un certo punto scavalcò il manufatto, violando il confine per perlustrarlo anche dalla parte del terreno di Manuele Porresu. Dopo qualche minuto si alzò da terra brusco come c'era finito, e con uno strano sguardo cercò gli occhi del padre.

– Hanno spostato il confine.

Mentre Salvatore Bastíu fissava il figlio giusto il tempo necessario a credergli, il muro gemette di nuovo e non ci fu bisogno di dire altro.

– Figli di bagassa scomunicati, ecco cos'era il pianto!

Marito, moglie e Nicola, colti dallo stesso timore, cominciarono a divellere le pietre dalla cima del muretto, fa-

cendosele ruzzolare tra i piedi sia da una parte che dall'altra del confine. Sembravano in preda a un'ansia furiosa,
tanto che anche gli altri se ne fecero contagiare, disfacen-
do il muretto in pochi minuti.

Il piccolo sacco di juta comparve dal punto piú interno
del muro, perfettamente inserito tra due massi concavi
scolpiti con rozzezza allo scopo evidente di fargli posto.
Nicola estrasse l'arresoja dalla tasca sotto gli sguardi tesi
del padre e della madre. La lama lacerò la stoffa sporca con
un rumore asciutto, rivelando quello che si agitava debol-
mente dentro il sacchetto.

Era un cucciolo di cane.

Vedendo con cosa era stato legato e sepolto, il segno
della croce stavolta se lo fecero tutti. Persino Nicola.

Salvatore Bastíu non ci aveva mai creduto che la notte
portasse consiglio. La notte porta la notte e basta. Chi ha
giudizio sa che i consigli bisogna farseli dare da svegli, perché ogni alba nuova è un agguato da cui difendersi come
si può. Lui, per ogni buon conto, non era mai uscito di casa
senza affilare l'arresoja e aveva cresciuto tutti i figli a pane e occhi aperti. Nicola piú di Andría aveva imparato tutto e in fretta, che il ragazzo non era di quelli venuti al mondo per fare ombra. Per questo il padre non aveva aspettato che scendesse il buio per portarselo appresso a casa di
Bonaria Urrai insieme a quello che avevano trovato nel
muretto, cane compreso.

Seduti al tavolo della cucina di casa Urrai, padre e figlio osservavano in silenzio le dita magre di Tzia Bonaria
esaminare la cosa, mentre Maria seduta vicino al camino
teneva il cucciolo addormentato sulle ginocchia.

– Questo era una intenzione brutta, – esordí Tzia Bonaria, sfiorando con prudenza gli strani elementi combi-

nati che avevano fatto compagnia alla bestiola dentro il sacchetto.

Salvatore Bastíu diede segno di impazienza.

– Certo che buona non era. Cosa gli fa al confine?

Tzia Bonaria sollevò la cordicella infittita di nodi, i cui estremi erano intrecciati a guisa di collana intorno a un pezzo di basalto arrossato dal sole, grande come una noce.

– Lo lega, lo tiene fermo.

– Ma se l'hanno spostato di un metro almeno! E come diavolo avranno fatto, poi... saranno stati tre giorni appena che non andavo al podere.

– Tre giorni bastano e avanzano se uno si fa aiutare. Comunque l'intenzione era che dopo spostato non si muovesse piú. E che non ve ne accorgeste nemmeno.

– Eh, ma invece io me ne sono accorto... – disse Nicola con un mezzo sorriso.

La predilezione che Bonaria aveva per il figlio maggiore dei Bastíu non le impedí di indirizzargli uno sguardo duro.

– Non farti piú furbo di quello che sei, Coleddu. Te ne sei accorto solo perché il cane non è morto subito. Se moriva, stai sicuro che la linea di confine moriva con lui.

Gli occhi della vecchia passavano dagli oggetti agli ospiti, mentre la mano continuava a sfiorare la noce di basalto legata stretta. Sembrava in attesa di qualcosa. Salvatore Bastíu all'improvviso proruppe in un giudizio:

– Porresu la deve pagare, questa.

– Non sei sicuro che l'ha fatto lui...

– Piú prova di questa! – esplose rabbiosamente l'uomo indicando gli oggetti, ma badando con cura a non toccarli. – Qui c'è il male che mi vogliono, mi fanno una fattura per rubarsi un metro di campo!

Bonaria Urrai scosse il capo piano e non disse piú niente, ma la mano magra non smetteva di toccare la pietra.

Dimenticata vicino al camino fino a quel momento, Maria esclamò:

– Il cane lo chiamo Mosè.

Nicola, suo padre e Bonaria si volsero verso di lei, sorpresi.

– Lui non ha colpa, lo terrò io.

A vedere la luce vorace sul volto della ragazza, la vecchia suo malgrado si lasciò sfuggire un sorriso.

– Puoi tenerlo, basta che ci badi tu.

Maria annuí, accettando l'autorizzazione che in effetti non aveva chiesto. Un cane nato per morire come maledizione non era cosa per cui dire scusa o grazie. Rimase accanto al camino accarezzando il cucciolo, mentre i Bastíu venivano accompagnati alla porta in un silenzio gonfio di progetti. Quando Bonaria tornò e furono sole, si venne a sedere sull'altro scanno davanti al fuoco. Senza una parola iniziò a gettare tra le fiamme la pietra rotonda, la cordicella e il sacchetto del tentato maleficio, muovendo piano le labbra come se masticasse. Tutto quel che poteva bruciare bruciava, il resto si perdeva nella cenere, sbiadendo il suo senso.

– Anche io volevo dargli fuoco a quelle cose, Tzia. Il fuoco purifica tutto.

Maria mormorò la sentenza piano, carezzando il cane e osservando i gesti che vedeva fare. La vecchia sollevò gli occhi a guardarla, poi si alzò con un inequivocabile preludio di congedo.

– È tardi, avanti: i cristiani dentro casa e le bestie fuori. Fallo uscire e poi vai a dormire, che domani c'è scuola per te.

Si scosse il grembiule, mentre a malavoglia Mosè si vedeva aprire la porta della notte nel cortile. Quando ormai la ragazzina dormiva, la figura raccolta della vecchia era ancora davanti al camino, gli occhi fissi nei resti del fuoco che andava spegnendosi in braci stentate. La pietra rotonda era lí come un cuore fermo tra la cenere, la superficie porosa fatta nera dal fuoco, tutto fuorché purificata.

Capitolo quinto

Bonacatta, la figlia grande di Anna Teresa Listru, somigliava a Maria nel nero degli occhi e in niente altro. Robusta come un minatore, era stata serva otto anni in casa di Giuanni Asteri per farsi il corredo da sposa e ora, nonostante sfoggiasse la gonna piú alla moda del suo guardaroba, sedeva nel soggiorno con la stessa grazia di un nuraghe sfatto.

I parenti di entrambi i fidanzati vociavano in punta di sedia, bevendo con parsimonia la malvasia e ridendo forte di cose per cui di norma si sorride appena. Era tutto un frusciare di pieghe di gonna lungo il confine invisibile tra una famiglia e l'altra: sorelle e cugine della futura sposa servivano gli amaretti e il vino passito con sorrisi fintamente timidi e sguardi bassi da persone beneducate. Maria invece teneva sollevato il vassoio e gli occhi, pesando con curiosità l'aspirante parentela. Non ricchi, questo no, che un vero ricco non prende per moglie la figlia di una vedova senza beni. Però nemmeno poveri, a giudicare dai doni di rito portati alla futura sposa: una catena d'oro con la medaglia dell'Assunta, un anello antico e una spilla brutta, ma grande, per il fazzoletto da testa che comunque Bonaria non aveva mai usato, attirata com'era dalla nuova moda che veniva dal continente. Maria era sicura che nemmeno indossata tutta insieme quell'oreria avrebbe reso bella Bonacatta, ma in fondo non era a quello che serviva.

I doni erano come ex voto addosso alla statua sdraiata della Madonna Assunta: non decori ma baratti, corallo in
cambio di grazie, oro a peso per misurare la devozione. Se
ci avesse riflettuto, Bonacatta si sarebbe resa conto che
dietro quello sfoggio di vetrini non c'era alcuna devozione, ma la riflessione non era mai stata il punto forte della
figlia maggiore di Sisinnio Listru.

Antonio Luigi Cau, il promesso sposo, stava seduto visibilmente a disagio accanto a sua madre, mantenendo
l'immobilità di certi animali impagliati. Era alto persino
seduto e non aveva detto ancora nulla, lasciando parlare i
suoi genitori, un po' secondo l'usanza e un po' perché non
aveva molto da dire che non fosse già stato detto.

– È tua figlia anche questa, Anna? Pensavo fossero
tre –. Gli occhi della madre dello sposo sembravano at-
tratti dalla figura sottile di Maria, mentre con le dita tozze afferrava due amaretti dal vassoio.

– È Mariedda nostra, l'ultima. L'ho data a fill'e anima
sette anni fa, ma quando serve viene volentieri a dare una
mano.

Anna Teresa Listru rispose compiaciuta, per addobba-
re la realtà a suo comodo com'era abituata a fare. La consuocera in quella loquacità inattesa trovò spunto per incal-
zare direttamente Maria.

– E di chi sei fill'e anima, gioia mia?

Per un istante nella sala l'incrocio delle conversazioni
sfumò in bisbiglio, mentre Maria rispondeva ignara del
lampo d'allarme negli occhi della madre.

– Mi ha preso Tzia Bonaria Urrai, la sarta, che era senza figli.

Il silenzio che seguí durò abbastanza da rivelare disagio, poi la madre del futuro sposo prese un altro amaretto
dal vassoio, con un sorriso breve.

– È una bravissima persona Bonaria, la conosciamo. Forse ha fatto anche un vestito a Vincenzo, quando era presidente del comitato, ti ricordi Bissè? – ammiccò al marito che ascoltava con interesse. – Ha mani d'oro, anche se di lavorare non avrebbe bisogno. Certo ti tratterà molto bene... – commentò, indirizzando uno sguardo sbilenco ad Anna Teresa Listru.

– Come una figlia mi tratta, non mi manca nulla, – la risposta di Maria fu automatica e compita, replica perfetta mille volte ripetuta. – Ma prendetene un altro, li ha fatti Bonacatta.

Maria protese il vassoio come una mano in elemosina, in un accenno curioso di inchino che per un istante nascose ai presenti la sua espressione. Gli altri sembravano preda di un maleficio di mutismo, tanto che la sorella maggiore trovò opportuno infrangere il silenzio con una qualche banalità.

– Maria è fortunata, è un privilegio grande avere due famiglie. Per me da oggi è lo stesso, no? Perché mi sarete madre e padre come se io vi fossi figlia...

Sorridendo la futura sposa riusciva nel miracolo di sembrare ancora piú brutta, scoprendo un'ampia chiostra di denti robusti. La frase ebbe però l'effetto di smorzare l'imbarazzo, schiudendo le labbra a qualche sorriso stentato.

– Non ti conviene, Bonacatta, che non li ho cresciuti a carezze i miei figli! Chiedi ad Antonio Luigi, se sono stato tenero, chiedi! – Vincenzo Cau rise rauco e rigido nell'abito inamidato della festa, un completo color crema che probabilmente gli era stato bene cinque anni prima.

Bastò quella frase a riportare d'imperio l'attenzione sullo scopo dell'incontro, ma mentre tutti ridevano sollevati, sua moglie si limitò a un sorriso ambiguo, fissando per un'ultima volta la ragazzina che proseguiva imperterrita il

giro del vassoio. La mano callosa di Antonio Luigi si protese verso i dolci, mentre Maria alzava gli occhi a sostene-
re lo sguardo del promesso sposo di sua sorella.

– Tu sei capace a fare i dolci?

Era la prima volta in tutto il pomeriggio che Maria lo
sentiva parlare, e la voce baritonale era bassa e scandita,
piena di note gravi. Contadino di terre sue, a venticinque
anni Antonio Luigi Cau era uomo da almeno dieci.

Sorpresa dalla domanda diretta, la ragazzina abbassò
gli occhi al vassoio. – So fare la forma della frutta con la
pasta di mandorle. Pere, mele, fragole... anche animali!

– Brava, è importante anche quello, che le cose non si
mangiano solo con la bocca.

Le dita abbronzate del cognato afferrarono un amaret
to sul margine del vassoio, raschiando leggermente la cro
sta sul fondo. Maria indietreggiò di un passo come se fos
se stata toccata lei, arretrando anche il vassoio e risolle
vando gli occhi per guardarlo. Ignaro di quella reazione,
Antonio Luigi Cau non si curava già piú di lei, e mastica
va l'amaretto a labbra strette mentre prestava di nuovo at
tenzione alle altre conversazioni. Maria rimase ferma da
vanti a lui per qualche secondo, poi la zia successiva tra-
fugò un altro dolce di mandorla dal vassoio, costringendola
ad andare oltre. Per tutto il resto della visita di fidanza-
mento Maria si mantenne silenziosa e utile, alzandosi solo per ritirare stoviglie ed evitando di guardare in viso chicchessia.

Rivide Tzia Bonaria prima che salisse il buio, quando
rientrò a casa con un paniere di amaretti avanzati, calda
di una febbre aspra e inconfessabile.

– Com'è andata?

– Sono brava gente, a vederli cosí.

– Lui è serio?

– Sembra di sí… – Poi aggiunse piano, con un sorriso tenue: – …è alto.

Bonaria rise, piegando con cura l'ultimo pezzo di stoffa della giornata, che aveva tagliato nella lana in foggia di piccola mantella.

– Ah, allora siamo a posto. Quale altra dote si può desiderare, piú di uno che ti stacchi i fichi dalla pianta senza scala?

Maria rise a sua volta, sentendosi avvampare dall'imbarazzo. Se Bonaria se ne accorse fece finta di niente.

– Hanno fissato la data per il tredici di maggio, sennò poi è troppo vicina a Pentecoste.

– Devi andare ad aiutare?

– Sí, mi hanno chiesto per i dolci e per il pane.

– Per i dolci va bene, per il pane solo se è di sabato. Non voglio che perdi giorni di scuola.

Non era mai stata ansiosa Maria di andare a lavorare nella casa natale, ma quella volta si impuntò come un mulo sordo.

– Non sono mancata quasi mai, non verrà giú la scuola se manco un giorno perché si sposa mia sorella!

Bonaria cedette solo dopo diverse insistenze, e nel farlo le rimase la sensazione di non essere stata messa a parte di qualche particolare importante. La mancanza di interesse che sin dall'inizio Maria aveva dimostrato per le visite a casa di sua madre l'aveva sempre intimamente rassicurata, ma non avrebbe potuto giurare di non aver mai cercato di rafforzare quella resistenza. Fino a quando non aveva incontrato per la prima volta Maria e sua madre nella bottega, Bonaria si era creduta portatrice segreta dell'unico dolore perfetto, il solo a cui non fosse possibile dare lenimento. Sapeva a quale mondo stava sottraendo la bambina, e per esserne certa non era stato necessario neppure averne visto tutti gli anfratti; per questo non si era stupita che Maria non avesse manifestato alcuna nostalgia evidente, come se in fondo, nell'immanenza propria delle infanzie solitarie, avesse sempre saputo che il suo destino non era lí. Ma ora, davanti all'insistenza di Maria per assistere alla preparazione del matrimonio di Bonacatta, la sicurezza di Bonaria Urrai vacillò. Non aveva amiche né sorelle a cui confidare il suo dubbio, ma se pure le avesse avute se lo sarebbe tenuto per sé.

Anna Teresa Listru aveva detto la verità alla consuocera: Maria veniva richiamata a casa ogni volta che serviva. Quello che non aveva precisato era che non ogni volta che veniva richiamata, poi arrivava davvero. Bonaria Urrai vigilava come un astore sul motivo di ogni singola richiesta, e se la riteneva inopportuna sapeva riservarsi il diritto di rifiutare. Non che dicesse no apertamente. Bastava accampare un orlo di gonna da finire con urgenza, o un'importante visita di controllo dal dottor Mastinu, e chi voleva capire capiva. Solo in casi eccezionali la vecchia accettava che la ragazzina andasse a lavorare in campagna, di solito in occasione della vendemmia con i Bastíu, o della raccolta delle olive. La vedova Listru pensava che da quando era andata a vivere con la Urrai, Maria si fosse convinta di essere diventata principessa: non aveva estratto da terra una sola patata, non si era chinata per scalzare una bietola, né si era mai immersa in risaia con un salario a cottimo come continuavano a fare le sue sorelle; soprattutto, aveva fatto capire chiaramente che non era il caso di chiamarla a fare il pane alle quattro del mattino. Anna Teresa Listru non si lamentava apertamente, ma non aveva rinunciato del tutto all'idea che la condizione privilegiata di Maria dovesse comportare qualche vantaggio in piú per lei, oltre ad averle tolto una bocca d'intorno al tavolo. La cosa che le seccava di piú era che la vecchia Urrai sembrava ossessionata dalla regolarità della scuola di Maria; Anna Teresa Listru a quella scusa aveva creduto solo fino a un certo punto. La ragazzina dopotutto era in terza media, e aveva studiato anche piú di quello che le sarebbe servito nella vita. Non c'erano ragioni perché non cominciasse a restituire un po' di quello che aveva ricevuto, considerando da che pentola si era riempita la pancia fino ai sei anni. Il matrimonio di Bonacatta era dunque parsa alla vedova Listru un'occasione piú che propizia per un piccolo atto di forza nei confronti di Bonaria Urrai, perché la quantità di dolci e di pane che era necessario cuocere poteva giustificare che Maria si assentasse qualche giorno da scuola.

Contraddicendo i suoi peggiori sospetti, la vecchia Urrai non sembrò fare alcuna resistenza, tanto che Maria si presentò nel pomeriggio del giorno stabilito per fare i dolci di mandorle senza bisogno di chiedere due volte la stessa cosa. Forse in fondo ci si poteva lavorare su, approfittando del fatto che sul grande tavolo centrale del soggiorno ci fosse il clima frenetico degli eventi irripetibili.

In bella mostra stavano allineati tutti gli ingredienti necessari per gli amaretti, e in quella filiera profumata ciascun paio di mani, comprese quelle della futura sposa, aveva il suo preciso tempo di intervento. Da un lato stavano le mandorle dolci, sminuzzate con la mezzaluna fino a ridurle a un niente, custodite dentro un ampio bacile di terracotta smaltata, pronte per essere mischiate alla farina e alle uova in un biscotto che sarebbe finito nel forno con una mandorla o mezza ciliegia candita piantata al centro. Anna Teresa si era raccomandata di abbondare in farina e risparmiare in mandorle, in barba alla tenerezza del risultato. L'altro lato del lungo tavolo invece era dominato da un monticello di mandorle tagliate a lamelle sottili, che aspettavano di essere cristallizzate nello zucchero insieme a una grattata di buccia di limone: una volta fredde e tagliate a rombi sarebbero diventate un croccante rustico che solo i denti piú sani avrebbero potuto affrontare. Maria, tra le chiacchiere delle sorelle e della madre, grattugiava i limoni. Anna Teresa Listru attaccò il discorso quasi subito.

– Sei contenta che oggi non sei andata a scuola?

– Be'… non è un dispiacere andarci, ma oggi era un giorno speciale.

Regina e Giulia si scambiarono un'occhiata mentre Bonacatta lavorava l'impasto con le uova per ammorbidirlo. Giulia esclamò:

– Non so come fai a non annoiarti a stare sempre seduta, io ho odiato ogni giorno di scuola che ho fatto.

– E la scuola ti ha ricambiata come ti meritavi: due volte la quarta hai finito per fare! – la rimbeccò Bonacatta con malizia, forte dell'autorità dei suoi venticinque anni.

– Sei quella che ha studiato di piú, tu! – Regina non avrebbe mai ammesso che a lei studiare non era dispiaciuto, e non si lasciò sfuggire quell'occasione per aggiungere legna sul rossore di sua sorella.

L'umiliazione di Giulia trovò soccorso inatteso nella madre, che di solito non interveniva in quei battibecchi, se non degeneravano in disturbo per lei.

– La scuola non serve, – sancí. – Una volta che hai imparato a fare la firma e a contare il resto in negozio, quello basta, che mica devi fare il dottore. Pensa che io ho la terza elementare, e non per questo qualcuno mi ha coglionato, nemmeno tra gli studiati!

Anna Teresa Listru amava ripetere spesso quella sentenza, convinta che fosse una buona idea proporre alle figlie un modello raggiungibile. Giulia in particolare aveva impiegato tutti i suoi diciannove anni in quello sforzo, con risultati che sua madre non mancava di far rilevare alle vicine. «Sembro io da ragazza, sana e senza grilli per la testa», proclamava dando dei colpetti affettuosi tra le scapole a quella che ormai era la sua figlia minore.

– Invece a Maria la scuola piace... – proseguí decisa a non lasciar cadere il discorso. – ... cosa vuoi diventare Maria, dottore di mandorla? Professore di orli e di asole come Tzia Bonaria Urrai?

Le altre sorelle risero, ma la ragazzina non si lasciò intimidire; non era la prima volta che sua madre batteva sul quel tasto per sfotterla, e sin dall'inizio del discorso aveva capito che anche quel giorno la stava aspettando al varco.

– La scuola serve a tutto, serve anche per fare i dolci.

– Come no. Noi senza scuola i dolci non li sapevamo fare, infatti. Ma cosa t'inventi?

Maria smise di grattugiare il limone che aveva in mano e prese una delle palline di pasta di mandorle che Regina aveva appena finito di arrotondare. Poi la porse alla madre con aria di sfida.

– Lo sai perché i gueffus si chiamano gueffus?

Anna Teresa Listru la guardò come se fosse diventata matta, mentre le sorelle avevano smesso di muovere le mani per godersi la scena.

– Che domanda. Si chiamano cosí perché si sono sempre chiamati cosí.

– Sí, ma perché? Perché non si chiamano bombette, o... trictrac?

Bonacatta si lasciò sfuggire una risatina, incassando subito lo sguardo di fuoco della madre.

– Non lo so. E tu lo sai? Diccelo, maestra Maria, dài. Spiegaci questa cosa fondamentale.

– Perché la parola deriva dai Guelfi, i combattenti che nel Medioevo sostennero il papa contro l'imperatore.

– Interessante. Si tiravano palle di pasta di mandorle?

Stavolta le altre risero tutte, ma Maria proseguí imperterrita.

– Si chiamano cosí perché quando li mettiamo a caramella nella carta, tagliuzziamo i bordi a denti piatti, come le torri dei castelli guelfi.

Anna Teresa Listru aveva ascoltato la spiegazione tra l'irritato e il divertito, ma ora si divertiva e basta.

– Roba da non credere…

Con grazia esibita prese un guefo dal tavolo infarinato e se lo portò alla bocca, dandogli un morso che ne staccò metà. Mentre masticava chiuse gli occhi e poi li sgranò improvvisamente, ostentando sorpresa.

– Mi scenda un lampo… Adesso che so perché si chiama cosí ha persino cambiato sapore! Certo che se non me lo dicevi, Maria, non sapevo proprio cosa mi perdevo!

Giulia e Regina, che tra credere e non credere avevano furtivamente addentato un guefo tanto per gradire, per poco non si strozzarono dalle risate, mentre Bonacatta, preoccupata di non vanificare la preparazione dei suoi dolci, commentava con un sorriso la delusione di Maria:

– Per oggi la lezione ce l'hai fatta. Adesso fai un'altra cosa bella, finiscimi i limoni, che devo mettere la cappa ai pirichittus. E ti avviso che se mi chiedi perché si chiamano cosí, io lo so.

– Ma te lo dice quando cresci –. Regina si prese uno scappellotto per quell'impertinenza, mentre Maria si rimise a grattugiare le scorze con furia degna di miglior causa.

Per tre giorni interi la casa della sposa fu un vero formicaio, un viavai di parenti e vicine di casa con le sporte piene di ingredienti freschi e vassoi in prestito su cui riporre i dolci finiti. Le sorelle Listru lavorarono quasi senza sosta, alternandosi i compiti per dar vita al miracolo di un esercito di capigliette ricamate di zucchero come trine, chili di tiliccas gonfie di saba, cesti colmi di aranzada dal profumo speziato, scatole di latta piene di croccanti bamboline di zucchero, e centinaia di rotondi gueffus di mandorle, avvolti uno per uno a caramella nella carta velina bianca sfrangiata all'estremità come le torri guelfe. Nella casa non c'era una stanza che avesse un punto d'appoggio libero, e per andare a dormire Giulia e Regina dovevano spostare dai letti i cestini pieni di dolci già pronti, addormentandosi nella fragranza lieve dell'acqua dei fiori·d'a rancio.

In ognuna di quelle sere Maria tornò a casa di Bonaria Urrai, e prima di dormire sognò senza colpa il fidanzato alto di sua sorella.

Capitolo sesto

Il giorno del matrimonio di Bonacatta successero due cose terribili, oltre alle nozze. La prima fu che Maria fece quello che aveva promesso di non fare. Mentre tutti erano distratti a vestire e pettinare la sposa, entrò nella camera da letto della madre. La stanza aveva le imposte accostate, ma anche in penombra i teli bianchi stesi sul letto rivelavano la forma dei cestini dove il pane sfornato quel mattino era stato messo a riposare. L'armadio di formica bicolore dominava una parete intera, e lo specchio ovale sull'anta di mezzo fissava tutta la stanza come un occhio di ciclope. Maria sapeva di non avere molto tempo. Sollevò i teli bianchi a turno con attenzione, esaminando il contenuto dei cesti finché non trovò il pane giusto, riposto con cura preventiva in un canestro a parte, proprio ai piedi dello specchio.

Perfettamente circolare, intagliato a colombine e fiori, il pane nuziale di sua sorella le apparve piú fine e bello di quando lo aveva visto sulla pala del forno: una filigrana di farina e acqua, figlia di un'arte a portata di poche. Mentre sua madre e Bonacatta lo preparavano le era stato impedito di assistere, e anche il semplice atto di guardarlo in segreto restava una violazione le cui conseguenze le invasero il sangue con una vampata, acuita dall'odore forte e buono che riempiva la stanza come un ventre. Voleva vederlo, ma senza secondi fini, con l'ansia con cui alcuni vanno a vedere le mostre dei quadri famosi, e acquistano il biglietto per confermare il proprio diritto a non possederli. Mentre era china a osservare il pane, accadde però che gli occhi andassero allo specchio, dove oltre al pane vide anche sé stessa.

Dal fondo della casa arrivava soffocato il chiacchiericcio delle amiche della sposa in vestizione, ma l'odore denso del pane diradava tutti i rumori, e Maria non le sentiva piú. Commettendo il peccato di immaginarsi con gli occhi dell'uomo di un'altra, si alzò in piedi e si osservò senza alcuna comprensione. Nello specchio era lei quel giorno che si sposava, e non Bonacatta, perché in quel mondo misterioso fatto di riflessi lo sguardo dello sposo si era posato sul suo viso come una mano su un amaretto fragrante. Ma non era ancora una sposa la ragazzina dello specchio: il seno giovane premeva la camicia a fiori scoloriti con una grazia debole che neanche la stoffa sottile riusciva a valorizzare. Obbedendo a un impulso, le dita di Maria aprirono i bottoni alla ricerca rabbiosa di una promessa di femminilità migliore di quella; ma la camicia dischiusa non rivelò altro che la grana morbida e ancora infantile della pelle, sulla quale la catenina del battesimo riluceva incongrua come una ferita d'oro. Maria scoprí la linea timida del seno per seguirne il profilo fino alla piccola estremità, dove si fermò, sentendosi finita troppo presto. La delusione di sé le impedí di cogliere la grazia del busto sottile: nelle costole evidenti sotto la pelle trasparente quel che vide era solo un povero tentativo di donna.

Fu per porre rimedio a quello sgarbo del tempo che tornò a chinarsi sul cesto ai suoi piedi, nuovamente attratta dal pane degli sposi; non era ignara del fatto che quel cerchio di pasta cotta fosse piú importante ancora dei loro anelli, destinato all'offertorio e poi all'eternità di un vetro, appeso al muro dopo essere stato spruzzato di lucido per il legno che lo risparmiasse dai tarli e dalla muffa. Per questo fu con grande attenzione che lo sollevò per metterselo lentamente sul capo, dove calzò come fosse stato misurato su di lei. Guardandosi nello specchio si vide allora finalmente bella, una regina di pane riverita dall'odore di proibito di quella silenziosa incoronazione. Sorrise, poi fu un rumore di passi nel corridoio a farla voltare allarmata. O forse a impaurirla fu il peso improprio di quel pane vendicativo, ornamento di un giorno non suo.

Il primo pensiero di Maria fu al seno scoperto, ma sarebbe stato meglio fosse il secondo. Nel tentativo maldestro di coprirsi dal pericolo che sentiva giungere, si sbilanciò in avanti alla ricerca dei lembi della camicia aperta, e cosí facendo le scivolò la corona dalla testa. Troppo tardi le dita si mossero per impedire il disastro: il pane di buonaugurio cadde a terra con un suono croccante di ossa rotte, perduto. Si fosse perduto solo quello, il giorno del matrimonio di Bonacatta, non sarebbe stato nemmeno grave.

Non vide altro che quello Anna Teresa Listru quando aprí la porta per prendere i cesti: l'ultima delle sue figlie in piedi con il seno scoperto davanti allo specchio di un'anta dell'armadio. Quello, e non altro, vide la madre dello sposo venuta ad aiutare: la fill'e anima di Bonaria Urrai sola fra i cesti coperti del pane, come un menhir rimasto in piedi in mezzo alle colline di giugno. Quello e basta vide Bonacatta vestita di bianco dietro di loro: i pezzi del suo pane nuziale sparsi sulle piastrelle rosso vino della stanza da letto di sua madre. Nessuna di loro in quel disastro di riflessi si accorse veramente di Maria, e in quella cecità collettiva ci fu l'unica consolazione per lei, la sola forma di familiarità possibile tra le mura di quella casa. Andò che, con molto poco senso della scaramanzia, il matrimonio si fece lo stesso, e tra le lacrime disperate di Bonacatta il pane fu attaccato provvisoriamente con albume d'uovo e rimesso qualche minuto nel forno tiepido, perché si saldasse il tempo sufficiente a far figura nell'offertorio della messa. A Maria fu imposto un malore perché non presenziasse in chiesa, e tranne il figlio minore dei Bastíu, gli unici che avrebbero avuto motivo di lamentarsi di quell'assenza sapevano le cose, e stettero zitti. Quando Maria rientrò era buio da piú di un'ora, ma Bonaria Urrai non era in casa.

Il viaggio sulla motocarrozzella, un vecchio modello del dopoguerra testardamente sopravvissuto alle strade dissestate delle campagne di Soreni, fu breve e pieno di scossoni. L'accabadora sedeva al posto del passeggero, e l'uomo che era andato a prenderla a casa non aveva nemmeno provato a metter su un tentativo di conversazione. Quando arrivarono al casolare in aperta campagna, la vecchia scese rapida. Il latrare furioso di due cani aveva già annunciato il loro arrivo, e sulla porta una giovane donna in un cappotto di panno scuro li attendeva da qualche minuto. Nell'angolo della facciata piú esposto al maestrale, l'intonaco scrostato lasciava intravedere le linee grossolane dei mattoni di terra cruda, mentre la luna nel cielo sereno permetteva di distinguere nell'aia una piccola costruzione di blocchetti coperti da una tettoia di eternit, probabilmente un pollaio. Le finestre del caseggiato principale erano oscurate, dando l'impressione che la casa fosse disabitata. Cosí però non era.

– Grazie di essere venuta… – mormorò la donna in un accenno di convenevoli.

L'accabadora si limitò ad annuire e stringersi nello scialle, poco incline a farsi trattenere oltre il necessario. Entrarono in casa lasciando i cani fuori, a guardia della motocarrozzella. Nella stanza ad attenderla c'erano sei persone, un'intera famiglia intorno al tavolo sgombro, e si alzarono in piedi come a un appello. Oltre all'uomo che l'aveva accompagnata, il marito della donna che aveva aperto la porta, c'erano altri due uomini tra i trenta e i quarant'anni che fecero un segno di rispetto con il capo; vicino al camino c'erano anche due bambine in pigiama, con gli occhi assonnati di chi solitamente a quell'ora dorme già da un po'. La piú piccola teneva in mano un cane di pezza che doveva essere stato bianco. L'accabadora valutò subito chi prendeva le decisioni là dentro, e le si rivolse.

– Dov'è?

La donna fece un cenno significativo con gli occhi verso una porta di legno al lato della stanza, seminascosta da una credenza antica troppo ingombrante.

– È nella camera di là, ormai lo spostiamo solo per le piaghe.

Poi fece strada, seguita in silenzio dagli altri come in processione.

Nella camera c'era la sola luce dell'abat-jour sul comodino accanto al letto, ma bastava a disegnare ombre informi sul capo scheletrico del vecchio che giaceva tra le coperte, con il viso sollevato da due guanciali. L'uomo pareva dormire.

– Da quanto tempo è cosí? – chiese l'accabadora, accostandosi al letto. Gli altri si disposero spontaneamente attorno.

– Otto mesi alla prossima settimana. Ma due anni in tutto, considerando quando potevamo metterlo seduto.

Parlava solo la donna, e ogni tanto scambiava un'occhiata con il marito e i fratelli. Gli occhi scuri dell'accabadora la fissarono.

– Ha chiesto lui di me?

L'altra scosse il capo diverse volte, sfuggendo lo sguardo come a celare un orlo di lacrime.

– No, non parla piú da settimane, – aggiunse poi. – Ma io a mio padre lo capisco.

Apparentemente sazia di quella risposta, l'accabadora sporse la mano dallo scialle nero per sfiorare con delicatezza la fronte ossuta del vecchio. A quel tocco l'uomo aprí gli occhi, puntandole addosso le pupille sbiadite senza emettere neanche un gemito.

– Gli avete tolto le benedizioni di dosso?

– Tutte. Abbiamo controllato anche nei cuscini e nel materasso. Pure la medaglietta del battesimo gli abbiamo levato. Non ha piú nulla che lo tenga, – la voce della donna nell'elencare gli oggetti aveva un che di febbrile. – Pure il giogo gli abbiamo messo.

La donna si avvicinò al letto per infilare la mano sotto il guanciale, da dove estrasse un piccolo pezzo di legno dolce scolpito rozzamente in foggia di un giogo di buoi. L'accabadora esaminò l'oggetto, poi riportò gli occhi sull'anziana figura distesa nel letto. Quando riprese parola fu per rivolgersi agli altri familiari, perentoria.

– Uscite tutti.

Nessuno degli uomini pensò di non obbedirle. Vedendo che la padrona di casa non aveva accennato a muoversi, la vecchia la fissò. Con riluttanza anche la donna lasciò la camera, chiudendosi la porta alle spalle senza rumore.

Rimasta sola con il vecchio, lo esaminò. Gli occhi spalancati di Tziu Jusepi Vargiu avevano l'immobilità senza ritorno delle cose rotte. Bonaria gli prese la mano scarna tastando con attenzione il polso e l'avambraccio, e qualcosa in quel contatto le strappò un sussulto. Il vecchio emise un verso rauco.

– Chiamata ti hanno, alla fine...

Con la presa scheletrica trasse a sé la mano dell'accabadora, costringendo l'alta figura scura ad assecondarlo e chinarsi. Malgrado la sua debolezza, il sussurro del vecchio non si perse nella piega dello scialle, e Bonaria Urrai lo udí perfettamente. Fuori c'era la famiglia che attendeva pregando, ma l'accabadora non ci mise nemmeno il tempo di un *Pater ave gloria* a uscire dalla camera del vecchio, avendo cura di lasciarsi aperta la porta alle spalle. I parenti dell'uomo si alzarono nuovamente in piedi. Quando Bonaria Urrai si rivolse alla donna e al marito, rimpiansero di non essere nati sordi.

– Antonia Vargiu, per avermi chiamata senza motivo, siate maledetti voi tutti presenti.

In tanti anni non era mai stata costretta a dire quelle parole, ma ora che erano necessarie arrivarono alla lingua dritte come fiato.

– Per avermi mentito dicendomi che non parlava, siano maledetti i vostri figli, quelli che avete e quelli che verranno.

– No! – La donna che l'aveva accolta gridò per interromperla, mentre gli altri arretravano pronunciando scongiuri a mezza voce. – Stava morendo... lo ha detto anche il dottore!

L'accabadora non mutò espressione, né tono.

– Sai benissimo che tuo padre non è morente, non è nemmeno vicino al suo giorno. Dagli da mangiare, piuttosto. Se muore per fame, tu non addormentarti piú.

La bambina con il cane di pezza scoppiò in lacrime, ma consolarla in quel momento non era la preoccupazione di nessuno degli adulti presenti. Senza aggiungere neanche un saluto l'accabadora uscí dalla casa. Quando meno di un'ora dopo la motocarrozzella si fermò davanti all'abitazione di Bonaria Urrai, Maria era sveglia nell'angoscia piú completa.

– Dove eravate? Ero preoccupata!

– Ero fuori.

– Quello lo vedo anche io, Tzia... Chi era quell'uomo?

– Non lo conosci, Maria. E non dovresti nemmeno essere sveglia a quest'ora, domani è lunedí.

La ragazza ebbe un moto di fastidio, e non si curò di celarlo alla vecchia.

– Cosa me ne frega della scuola. Dove eravate?

Bonaria Urrai, con ancora addosso la polvere del viaggio sulla strada sterrata, non nascose l'incredulità a quel tono di voce.

– Non devo renderti conto di dove vado, Maria Listru. O adesso tu sei diventata la grande e io la piccola?

Non bastò quella frase secca a rimettere del tutto al suo posto la ragazza, che ebbe un ultimo sussulto di rabbia.

– Anche se sono piccola non ho diritto di sapere le cose di casa? È mezzanotte passata, non ho nemmeno mangiato per aspettarvi...

– L'uccello che non becca ha già beccato. Avrai avuto la pancia troppo piena dal matrimonio di tua sorella per farti da mangiare.

Maria non rispose, si limitò a fissare il viso dell'anziana sarta e il suo scialle nero, ancora avvolto intorno al corpo come a ripararla dal freddo inesistente di un maggio tiepido persino di notte. Bonaria Urrai in quel silenzio colse un racconto di cose non dette e la fissò a sua volta. Sciogliendosi di dosso lo scialle mormorò:

– Dimmi cosa è successo.

Quella notte nessuno dormí, né le Listru che avevano da festeggiare, né i Vargiu a cui era sfumato il motivo per farlo, né le due donne nella casa di Taniei Urrai, abbracciate vicino al camino a parlare fino all'alba di un pane e di un amore infranti. Solo quando giunse il mattino Maria infilandosi nel letto si ricordò di quell'altra volta che Bonaria era uscita di notte, quando cinque anni prima era morto Giacomo Littorra. Ci pensò come dentro l'acqua, con la confusione sognante dei ricordi d'infanzia, poi sfinita si addormentò. In tutto questo, c'era di buono che non fu piú necessario inventare scuse per non andare ad aiutare sua madre a fare il pane.

Capitolo settimo

Erano passati quattro anni dal fatto del confine di Pran'e boe, e Nicola Bastíu non riusciva a capire come suo padre avesse potuto mandare giú la questione senza fare nulla. Con colpi rabbiosi di roncola potava la siepe sul lato sud del podere, quello dalla parte degli ulivi, gettando di tanto in tanto gli occhi nella direzione opposta, oltre il muretto a secco, dove Manuele Porresu aspettava da giorni sotto la pergola del suo casolare il momento buono per mietere il frutto del campo, diventato piú grande di quasi duecento metri proprio grazie al confine spostato sul terreno dei Bastíu. Gli altri confinanti avevano già mietuto, chi prima e chi dopo, e l'aria era densa del fumo greve delle stoppie bruciate, cosa che aumentava la temperatura almeno di un paio di gradi, non proprio l'ideale in quella stagione. Nicola li aveva degnati appena di uno sguardo prima di mettersi a potare la siepe senza pietà, e il fratello accanto a lui cercava inutilmente di tenere la furia del suo ritmo.

– Nicò, finisci che mi fai male se continui a muoverti come un gorilla.

– Lasciami stare, Andría, che ogni volta che vengo qui e vedo cosa sta facendo quel disgraziato…

Andría conosceva a memoria l'elenco delle rimostranze del fratello. Quel terreno accorciato sarebbe spettato a lui nella divisione, e l'idea di dover subire un'ingiustizia

sul bene futuro senza avere ancora l'autorità per rivalersi
gli raddoppiava la rabbia con gli interessi.

– Babbo sembrava che volesse fargliela pagare, poi non
si è fatto niente, e quello quest'anno si fa come minimo
quattrocento quintali in piú alla faccia nostra!

Ogni volta che lavorava lungo il lato conteso del terreno, Nicola rimisurava a occhio la parte che secondo lui
mancava, e calcolava il danno in base a quello che Porresu aveva piantato quell'anno. Quando erano pomodori,
quando erano meloni. Quell'anno era grano.

– Babbo ti ha spiegato il perché…

– Cosa me ne frega a me degli amici di babbo, della gente che conosce babbo, e delle offese che non vuole fare
babbo! Il terreno è mio, e Porresu se ne è fatto quello che
ha voluto già una volta. Cosa gli impedisce di spostare il
confine anche stanotte, visto che ha trovato i fessi che
stanno a guardare?

– Crede che nel muretto ci sia la fattura con il cane e
adesso non lo tocca piú, lo sai anche tu.

Benché il ragionamento non facesse una piega, Nicola non era soddisfatto: anche se dava garanzie per il
futuro, quella risposta non gli restituiva il terreno perso. La roncola sibilava nell'aria come un calabrone, mentre i rovi cadevano ai loro piedi in un disordine calco-
lato.

– Io ho capito soltanto una cosa. Che quello che è mio
me lo devo difendere io. Babbo è anziano, non ha voglia
di stare in guerra con questo e con quello. A me invece im-
porta eccome di non essere preso per il culo.

– E cosa gli fai, Nicola? Sollevi il muretto e glielo ri-
metti sopra il grano? Cosí poi sei tu quello che sposta i
confini degli altri.

Nicola smise di agitare la roncola, e lo guardò.

– Se uno non può riavere quello che gli è stato preso, può fare in modo che il ladro non se lo goda.

– Non ti capisco... – mentí Andría guardando la figura coperta di sudore e polvere del fratello.

– Mi capisco io, mi capisco. Se lo sognano i figli di Porresu di farsi dottori con i soldi miei.

– Io non farei niente di diverso da quello che ha fatto babbo, Nicò. Sennò finisce che è piú quello che perdi che quello che guadagni.

– Tuo è il terreno, Andría?

– No, ma...

– E allora fatti i cazzi tuoi, che non mi insegni tu a vivere –. Poi aggiunse con cattiveria deliberata: – A proposito, glielo hai detto a Maria Urrai che ti sei innamorato, o glielo devo scrivere io sul muro di casa?

Andría fece un silenzio che era piú pesante di un'imprecazione, e fu con quel peso che finirono di pulire la siepe e misero da parte i rovi in una grossa catasta per farli seccare al sole e poi bruciarli qualche giorno dopo.

Per tutto il pomeriggio Andría non smise di rimuginare le parole di Nicola, incerto se crederlo davvero capace di quel che aveva minacciato di fare. Troppo prudente per dirlo alla madre, nonostante l'opinione di suo fratello era anche abbastanza sveglio da capire che non era il caso di parlarne con il padre o con gli amici al bar. Era Maria il suo unico interlocutore senza insidie, e Andría se ne rese conto una volta di piú guardandola seduta sul fondo di rafia di una sedia fatta apposta per lei, mentre alla luce tirchia di un cielo nuvolo attaccava la tasca a un vestito di panno con la perizia di una sarta provetta.

– Secondo te cosa potrebbe fare?

– Andrí, non è cosí stupido tuo fratello. Parla perché è arrabbiato, ma non ha niente in mano per far qualcosa.

– Tu non lo hai visto, quello non ci dorme...

Vicino al camino spento giaceva raggomitolata la sagoma fulva di Mosè; il maleficio mancato dormiva placido al suono delle voci dei due ragazzi, approfittando dell'assenza di Bonaria per godersi quelle ore dentro casa furtivamente concesse da Maria. L'amore acritico di quell'animale sembrava a Maria l'unica cosa al mondo che non le fosse stato necessario meritarsi. Andría per placare i nervi gli si avvicinò, chinandosi per affondare nel pelo morbido di Mosè il viso su cui cominciavano a comparire le prime ombre della barba.

– Non lo credo capace di scambiare un danno per un rimedio, – disse Maria. – Se però tu pensi di sí, dovresti accennarlo a tuo babbo.

Se Andría avesse avuto quella certezza lo avrebbe fatto subito, anche a costo di prendersi due calci nel culo dal fratello, che per una cosa simile sarebbe stato capacissimo di suonargliele di cuore alla faccia dei suoi diciassette anni. Ma poiché certezze non ne aveva affatto, stabilí che in tutto quel fumo non c'era abbastanza arrosto, e senza saperlo si fece beffe del suo istinto per l'ultima volta nella vita.

Per un uomo che aspiri al rispetto degli altri, le cose buone possono anche essere gratuite, ma quelle cattive devono essere sempre necessarie. Se qualcuno gliene avesse chiesto conto in quel momento, Nicola Bastíu non avrebbe avuto dubbi ad attribuire a quello che stava per fare lo stato di necessità che poteva giustificarlo. E tuttavia scelse la notte per realizzarlo, perché per certe cose il buio a modo suo è già una forma di perdono. Non aveva molto tempo per portare a termine il suo progetto, dato che in

casa lo sapevano al bar con gli amici, mentre gli amici lo
credevano ancora in procinto di uscire. Il tempo gli era stato buon complice quella sera: l'aria era secca, e si era sve-
gliato un vento caldo da sud che sollevava i fili d'erba con
folate brusche, carezzando il grano maturo di Porresu
con la mano falsa del pastore al macello. C'era abbastanza luna da vederci, ma Nicola sapeva che non era necessa-
riamente un vantaggio per lui, quindi si mosse rapido cercando di sfruttare l'ombra piú cupa del muretto e degli alberi, mentre il passo rispettava per istinto i silenzi notturni
della campagna. Fu necessario trascinare oltre il muro di
pietre un po' dei rovi secchi ammucchiati con Andría qualche giorno prima, per portarli fino al punto piú a sud del
podere di Porresu; era il solo modo per far sí che l'incendio una volta scoppiato procedesse nella direzione del danno maggiore, la stessa del vento. Ci volle poco tempo e molta attenzione, perché Nicola non voleva che il segno dei
rovi trascinati sul terreno morbido permettesse di risalire
all'autore del gesto in un modo cosí plateale. Porresu doveva sospettare di essere stato coglionato, ma senza esserne cosí sicuro da mettere di mezzo la giustizia, esattamente come aveva fatto lui con i Bastíu quattro anni prima.
Con quel vento, l'incendio poteva benissimo essere stato
originato dal fuoco scappato dal campo di un vicino, magari uno di quelli dove i focolai delle stoppie arse in quei
giorni ancora covavano rabbiosi sul terreno annerito. Poteva capitare che non venissero spenti bene. Poteva capitare che si levasse il vento. Poteva capitare anche che quello
che credevi fesso trattasse da fesso te, ma non era l'ipotesi piú probabile, e proprio su quello Nicola contava, mentre accendeva l'esca per dare fuoco ai rovi ammucchiati.
   Quando le fiamme si levarono al cielo come una bestemmia, il figlio maggiore di Salvatore Bastíu aveva già

preso la direzione per raggiungere l'auto, lasciando al vento il suo mestiere, che lui per quel giorno il proprio lo aveva già fatto. Il colpo di fucile che fischiò nella notte raggiunse Nicola quando era quasi arrivato alla strada, lasciandolo disteso con la faccia nella terra battuta, senza spiegazione né un grido.

Capitolo ottavo

Il comandante dei carabinieri, calabrese di ascendenze siciliane, non ci aveva creduto nemmeno per un momento, ma aveva abbastanza esperienza da sapere che con otto testimoni che confermavano la dinamica dell'incidente di caccia, proprio non c'erano margini per mettersi a fare il pignolo. Ci sono posti dove la verità e il parere della maggioranza sono due concetti sovrapponibili, e in quella misteriosa geografia del consenso, Soreni era una piccola capitale morale. Il verbale fu scritto, firmato e archiviato, e Nicola finí a casa con una gamba ferita piuttosto gravemente, vergognandosi piú di non avere raggiunto il suo intento di vendetta che di aver costretto il padre a chiedere agli amici di mentire per coprire il suo fallimento.

Avendo saputo con che espediente era stato spiegato alla giustizia il fatto del podere di Pran'e boe, Manuele Porresu la domenica andava a messa al braccio della moglie camminando a due metri da terra, fiero di essersi fatto giustizia della propria ingiustizia, e consapevole di aver conquistato il silenzioso rispetto anche di chi prima gli aveva dato torto. Quel che invece piú premeva a Salvatore Bastíu era che il figlio fosse passato, e di rimando lo avesse fatto passare, per uno stupido. Niente a Soreni era sbeffeggiato e tenuto ai margini quanto uno stupido, perché se l'astuzia, la forza e l'intelligenza si potevano vincere ad armi pari, la stupidità non aveva peggiore nemico di sé stessa, e la sua fondamentale imprevedibilità la rendeva pericolosa negli amici piú ancora che nei nemici. Il danno era che in nessuno dei due casi la nomea di stupido si sarebbe potuta accompagnare al rispetto, bene prioritario in un posto dove di beni non ce n'erano poi molti altri.

Giannina Bastíu andava a fare la spesa tenendo la testa alta nonostante tutto, ma la scintilla maliziosa negli occhi di chi le chiedeva con fare mellifluo come stava Nicola la spingeva il piú delle volte a mentire, decantando una guarigione sempre piú prossima. In realtà la gamba di Nicola peggiorava di giorno in giorno, e nonostante le medicazioni meticolose, si era generata un'infezione che non lasciava scendere la febbre, e aveva costretto due volte il dottor Mastinu a riaprire la sutura per far defluire il pus. Maria e Bonaria dovettero attendere per fare la visita di cortesia, perché Nicola non accettava di ricevere nessuno, un po' per la vergogna, un po' perché non voleva che gli amici si rendessero conto della sua condizione; ma dopo due settimane di totale immobilità nel letto, il giovane era diventato un leone in gabbia che sopportava a stento anche la vista del medico e dei familiari. Man mano che passavano i giorni la sua gamba non accennava a migliorare, finché anche il dottor Mastinu non si rese conto che non c'era piú nessun miglioramento da attendere.

Appena nei bar del paese si sparse la voce di una probabile amputazione della gamba di Nicola, il cosiddetto incidente di caccia non fu piú considerato tanto divertente.

Era la prima volta che Bonaria vedeva Nicola da quando era successo il fatto di Pran'e boe. Anche quando il giovane aveva cominciato a ricevere visite, la vecchia sarta aveva aspettato, e non aveva mandato nemmeno Maria a chiedere notizie. Era come se avesse preso le distanze dal fatto e dalla persona che lo aveva compiuto, come se l'avvenimento in cui per poco Nicola non aveva perso la vita lo avesse veramente ucciso e fatto rinascere in una terra estranea, piú lontana e nemmeno confinante, una terra per arrivare alla quale ci voleva un viaggio molto lungo.

Il letto dove avevano messo Nicola Bastíu era quello matrimoniale degli ospiti, nella camera che spettava agli zii in visita per le feste, usata per tutto il resto del tempo come appoggio di cose preziose. Al centro del letto Nicola sedeva adagiato su molti cuscini, con addosso una semplice camicia chiara, e con la gamba ferita posata fuori dalle coperte per una piú facile medicazione. Il copriletto di ciniglia colorata aveva un'indiscreta fantasia di puttini che reggevano cornucopie debordanti, ma per un gioco irriverente di sovrapposizioni pareva reggessero anche l'arto in cancrena, disteso tra le loro braccine paffute come un tesoro da riversare intorno. Su quell'affresco barocco Nicola aveva il posto di una macchia mal lavata, torvo di occhi e di parole.

– Hanno detto che non guarirò. È venuto anche Dottor Schintu da Gavoi, ma ha detto che non c'è niente da fare. Mi devono portare via la gamba.

Fissò Bonaria con sguardo d'accusa, come se la colpa di quella sentenza aleggiasse nell'aria della stanza e non vedesse l'ora di trovare qualcuno disposto a prendersela. Per enfatizzare la portata del disastro, Nicola aggiunse:

– Morirò.

Bonaria Urrai lo guardò pallido nel letto, e si strinse le mani in grembo. Volutamente fino a quel momento non aveva sostenuto lo sguardo giudice del figlio dei Bastíu, che un letto di malattia non è mai stato luogo buono per trovare colpevoli. Quando parlò, lo fece con voce chiara e leggera, come parlasse di cose da nulla.

– Non morirai, ti porteranno solo via una gamba.

– È lo stesso. Forse che un cavallo non è morto se si azzoppa? O lo accudiscono a biada da storpio?

– Tu non sei un cavallo, Nicola.

– Appunto che non sono un cavallo, mi merito di piú che portare per tutta la vita il lutto di me stesso.

– Non saresti né il primo né l'ultimo.

– Piuttosto mi ammazzo.

Bonaria aveva occhi duri mentre lo ascoltava. Nonostante la sua nota inclinazione d'animo per Nicola, in quel momento non c'era nessun apparente cedimento alla commiserazione in quelle mani ossute senza anelli, intrecciate come un gomitolo tutto da lavorare. La voce aveva la stessa fredda temperatura dell'aria esterna, quasi che la vecchia si fosse fatta spiffero per cambiare l'aria malsana della stanza.

– Il Signore dà e il Signore toglie. Non possiamo prendere solo quello che ci piace.

Nicola rise a quella frase fatta, ed era una risata secca, densa di tutta la rabbia di un uomo che si sente impotente per la prima volta.

– Prete vi hanno nominato, Tzia Bonaria? Abbiamo un prete donna a Soreni e non lo sa nessuno! E adesso chi glielo dice a don Frantziscu che ha per viceparroco la figlia di Urrai?

– Non è prendendoti gioco di me che cambierai le cose della vita –. Bonaria non si scompose nemmeno a quella che da altri avrebbe considerato una mancanza di rispetto intollerabile.

Nicola decise di approfittarne, giocando subito tutte le sue carte.

– Posso cambiare quelle della morte, però. O potete farlo voi...

Bonaria Urrai si fece guardinga e gli puntò gli occhi addosso come spine.

·– Non ti capisco, – disse atona.

– Sí che mi capite –. Nicola abbassò il tono fino al bisbiglio, spietato nella sua disperazione. – Santino Littorra mi ha detto cosa avete fatto con lo scomparso di suo padre. Io non vi chiedo niente di diverso.

Con uno scatto improvviso Bonaria si alzò dalla sedia
come se scottasse; fece qualche passo verso la finestra facendo in modo di dargli le spalle, e quando si voltò aveva negli occhi un'espressione che Nicola non le aveva mai
visto.

– Stai parlando di cose che non ti spettano, e Santino
ha sbagliato a fare lo stesso. In ogni caso, qualunque cosa
ti abbia detto, non sono casi nemmeno vicini. Giacomo
Littorra stava morendo.

– E io sono morto già, ma non mi possono sotterrare.

Bonaria fece un gesto di stizza con la mano che era piú
chiaro di qualsiasi parola.

–·Credi davvero che il mio compito sia ammazzare chi
non ha il coraggio di affrontare le difficoltà?

– No, credo sia aiutare chi lo vuole a smettere di soffrire.

– Quello è il compito di Nostro Signore, non il mio.
Non hai mai creduto nelle cose giuste, adesso vuoi inse-
gnare a me quelle sbagliate?

Nicola, poco propenso a rispettare ruoli divini nella
commedia dove la parte principale era la sua, ebbe un moto d'insofferenza a quell'uscita di Bonaria. Con voce alte-
rata chiamò la madre, che accorse immediatamente nella
stanza asciugandosi le mani nel grembiule.

– Cosa ti serve, Nicò?

– Tzia Bonaria si fa prete, ma'. Tira già le sentenze come uno che vive di offerte. Sentila!

Giannina si volse verso Bonaria con sguardo confuso, ma la vecchia Urrai non si era mossa, e fissava gli occhi febbricitanti di Nicola senza nessuna espressione sul volto segnato.

– Ma cosa stai dicendo, Nicola? È modo di parlare alla gente che viene a farti visita?

– Tuo figlio sta male e dice cose sciocche, Giannina. Non lo stare a sentire, non lo ascolto nemmeno io.

– Non dico cose sciocche. Le dite voi, che avete due gambe e venite a dire a me di portare il mio peso su una gamba sola. I preti fanno cosí, e gli stupidi.

– Nicola, tu sai perché ti dico le cose. Non serve che sfoghi la tua rabbia su di me.

– E allora perché parlate come una che non sa la vita?

– C'è solo una persona qui dentro che non sa la vita. Se avessi buon senso dovresti ringraziare il tuo santo del miracolo di essere vivo, che per quello che ti è toccato saresti già sottoterra, e noi a piangerti intorno.

– Tutta la vita a letto lo chiamate miracolo? Andare a cagare portato sopra una sedia voi lo chiamate miracolo? Prima sí che ero un miracolo, ero uomo come a Soreni ce ne sono forse due, o nemmeno. Adesso sono uno storpiato, uno che non vale l'aria che respira. Cento volte meglio sarebbe stato se fossi morto!

A quelle parole Bonaria tacque, volgendosi alla finestra da dove la luce del giorno ancora pieno illuminava la stanza di un irreale e caldo rosato. I puttini sul copriletto scintillavano sguaiatamente a quella carezza luminosa, generando tra le pieghe della ciniglia l'illusione ottica di una danza infantile e isterica. Bonaria raccolse lo scialle dalla

sedia con un movimento breve, preludendo al congedo.
Mentre usciva mormorò:

– È questo che pensi veramente, Nicola? Io credo che
ti sbagli. Se basta una gamba a fare l'uomo, allora ogni tavolo è piú uomo di te.

Giannina Bastíu redarguí con stizza il figlio ammutoli-
to, poi andò dietro Bonaria con passo rapido. Le due donne si guardarono in silenzio nel corridoio stretto, mentre
dall'interno della stanza provenivano rumori rabbiosi di
piccoli movimenti nel letto, bruschi quanto poteva per-
metterlo lo stato di Nicola. Dopo qualche minuto di quel-
l'attesa nervosa, Giannina sussurrò:

– Non lo accetta. Come possiamo fare?

– Provate a mandargli il vicario.

– Don Frantziscu? E cosa gli può fare a Nicola, che mio
figlio nemmeno ci crede in Dio?

Bonaria guardò l'amica con le labbra strette, riflettendo.

– Non lo so, Giannina, però nell'ora della debolezza alcuni preferiscono diventare credenti piuttosto che forti.
Magari in nome di Dio lui potrebbe riuscire a convincer-
lo ad accettarsi come è.

Giannina Bastíu annuí non senza un'ombra di rassegnazione. L'idea di avere un figlio credente non le era in
fondo meno estranea di quella d'un figlio monco.

Capitolo nono

La bicicletta, completamente ribaltata, stava in piedi appoggiata sul sellino e sul manubrio. La mano di Andría Bastíu faceva girare la ruota posteriore con lentezza, mentre gli occhi cercavano la spina che con tutta probabilità gli aveva perforato la camera d'aria. Maria uscí dalla porta sul retro con una bacinella piena d'acqua fino a metà, e la posò accanto alla bicicletta.

– Lascia perdere, se sei andato a Turrixedda sarà una di quelle piccole. Ti conviene infilarla nell'acqua e vedere direttamente dove sfiata.

Andría non era dello stesso parere. Senza dar segno di averla sentita, con le dita faceva scorrere la gomma in attesa dell'escrescenza rivelatoria, paziente e silenzioso come un minatore.

– Andría, non posso star qui tutto il pomeriggio per una gomma bucata.

La voce di Maria lo raggiunse dentro la sua concentrazione, e il giovane sollevò gli occhi dalla ruota sospesa, con aria interrogativa.

– Se hai da fare vai, io voglio finire. Ma non potevo farlo a casa, Nicola è appena tornato dall'ospedale. Non mi metto ad aggiustare una bici nel cortile davanti alla sua finestra…

Maria annuí, andando a sedersi sul bordo del marciapiede di casa di Bonaria Urrai, per nulla preoccupata dal fatto di indossare i jeans nuovi.

– Come sta?

– Di schifo. Ringhia come un animale, ce l'ha con tutti e continua a ripetere che vuole morire.

– Un po' lo capisco, ma deve essere difficile per voi...

– Mio fratello non ha avuto mai un carattere facile, ma questa cosa è la peggiore che gli poteva capitare. Mamma piange di nascosto, babbo fa finta che vada tutto bene, e quello allora si arrabbia di piú. A me sembra che tutto quello che faccio lo innervosisca.

Mentre parlava Andría aveva sfilato la gomma della bici ed estratto la camera d'aria, iniziando a gonfiarla con la sua piccola pompa bianca.

– Vorrei andare a trovarlo, ma non voglio essere invadente.

– Non lo so se è una buona idea, ma magari con te si mantiene in sé...

La gomma venne fatta ruotare gradualmente nell'acqua della bacinella, fino a quando da un punto invisibile non si levò una rivelatoria colonna di piccole bolle d'aria.

– Fatto, vigliacca! Ora molla la pezzetta, che la chiudiamo, – esclamò Andría soddisfatto. – Meno si vede e piú fa danno, è sempre cosí.

Da quando gli avevano tagliato la gamba destra all'ospedale di Mont'e Sali, Nicola dormiva quattro ore per notte, e solo sedato. Il dottor Mastinu aveva detto che era normale, che ci sarebbe voluto un po' di tempo, ma Giannina Bastíu ci credeva e non ci credeva, perché Nicola non era mai stato uno incline a lamentarsi del dolore. Si era rotto ben sette ossa, da ragazzino non temeva un'altezza né una profondità; nidi sugli alberi e bisce nei fossi per lui erano sfide irresistibili, e l'imprudenza era la sua modalità di gioco preferita, con continua disperazione della madre e una certa malcelata soddisfazione del padre. Una volta giocando a pallone si era persino fratturato un osso dentro la mano, un pezzettino piccolissimo che nessuno aveva mai sentito nominare, al punto che gli amici l'avevano preso in giro dicendo che pur di rompersi un altro osso se n'era inventato uno che non esisteva. Non era uno che si lamentava del dolore, Nicola Bastíu. Per Giannina sarebbe stato addirittura preferibile, perché a vederlo zitto e ostile nel letto con il moncherino cucito e coperto da un panno, le veniva dentro il petto come una palla di grasso caldo che non si scioglieva, e rotolava su e giú mentre gli rifaceva il letto, gli portava da mangiare o semplicemente si affacciava a vedere se avesse bisogno di qualcosa. Gli avevano portato il televisore in camera perché potesse distrarsi quando non c'era nessuno a fargli compagnia, ma Nicola lo teneva quasi sempre spento e guardava fuori dalla finestra, proiettato in un mondo di rabbia silenziosa dove lui era l'unico cittadino con diritto di residenza. Cosí lo vide il vicario quando Giannina, superate le remore, trovò il coraggio di seguire il consiglio di Bonaria Urrai e invitarlo a casa a visitare il figlio.

Parroco a Soreni da ventun anni, don Frantziscu Pisu aveva un ventre rotondo sul quale i bottoni della tonaca tiravano con prepotenza a ogni respiro pieno. Quel gonfiore imbarazzante contraddiceva con evidenza il resto del fisico, secco e quasi rachitico, e di profilo riusciva a farlo somigliare a una lucertola che avesse ingoiato un uovo, vanificando del tutto l'eleganza austera della tonaca che il vecchio prete si cambiava di rado. A Soreni, tra i sorrisi di scherno, era noto a tutti quel suo tic di passarsi di continuo le mani sul ventre a distendere la stoffa, nel tentativo di minimizzare quella che considerava la sua sola vergogna visibile. I piú bonari gli avevano storpiato il cognome in Pisittu[1], forse perché quella sua ossessione mimica ricordava il leccare certosino dei gatti per allisciarsi il pelo. Qualcuno però lo chiamava piú perfidamente Tzicu[2], che oltre a essergli diminutivo del nome, malignava su un'origine alcolica del gonfiore al ventre. Lui i nomignoli li conosceva entrambi, ma non se n'era mai curato troppo, con la paziente superiorità di chi in piú di quattro lustri aveva celebrato i funerali a tutti, anche agli irriverenti. Probabilmente il suo pensiero non era distante da quella disposizione d'animo quando bussò alla porta dei Bastíu, famiglia di uomini che certo non avevano mai corso il rischio di rompersi un osso incespicando nei gradini della chiesa. Nonostante questo, lo aveva stupito solo in parte la richiesta di Giannina di venire a far visita al figlio maggiore, perché non era la prima volta che qualche sedicente mangiapreti si scopriva timorato nell'ora estrema. Una volta in croce tutti i ladroni diventavan buoni.

– Salute, Nicola, – mormorò entrando nella camera da letto al cenno furtivo di Giannina Bastíu, prudente abbastanza da restare fuori dalla portata dei prevedibili strali del figlio.

Nicola distolse gli occhi dalla finestra per puntarli alla porta con il gesto istintivo del cacciatore. Gli bastò un istante per mettere a fuoco l'identità del visitatore, ma non si scompose.

– Ma pensa, il prete mi hanno mandato… Sto dunque morendo, e io che per non saper né leggere né scrivere mi credevo già storpio a vita.

[1] Gattino.
[2] Cesco, ma anche «Goccetto».

– Infatti non stai morendo, e di certo te lo avranno detto i dottori. Sono qui solo a farti una visita.

Il giovane non fece cenno al prete di accomodarsi, e il vecchio non si approfittò della sua età per farlo senza invito. Forse non era nemmeno un incontro da sedersi, dopotutto.

– Ma che sorpresa. E quando mai siete venuto a visitarmi?

Don Frantziscu non mostrò il minimo imbarazzo alla domanda. Con un gesto lento si tolse la cuffia di lana blu dalla testa canuta, ignorando la smorfia di fastidio di Nicola.

– Non ne hai mai avuto bisogno.

– Cosa vi fa pensare che adesso ne abbia bisogno? Se è mia madre che vi ha detto questo, vi ha scomodato per niente.

– Non serve che me lo dicano, i sacerdoti queste cose le fanno di loro iniziativa, è il loro impegno.

– Arrivare a beccare nel dolore altrui, certo. Un bell'impegno, vi ci guadagnerete di sicuro il paradiso. Ma non sperate, don Frantzí, che solo perché mi manca una gamba io adesso sia in cerca di una stampella.

Il vecchio prete la ricordava bene quella sfrontatezza, quell'intelligenza senza il controllo di nessuna pace. Cercò gli occhi del giovane uomo che aveva davanti, accantonando il ricordo vivido di un altro Nicola Bastíu, un ragazzino ostile con i calzoni corti e le ginocchia scorticate sul cemento dietro la chiesa. Facile riconoscere ora la radice, osservando il frutto che aveva dato. Sospirò piano.

– Sono venuto solo a parlare, Nicola...

– A parlare a me? E di cosa, del sesso degli angeli? Di come organizzare la festa della Maddalena? Possiamo parlare di tutto, non è vero? Tanto io adesso ne ho di tempo da buttare.

– Sono venuto a parlare di quello che ti è successo.

La replica di Nicola giunse sprezzante come una frustata al vento:

– Voi non sapete niente di quello che mi è successo.

– Ti sbagli, a Soreni anche i cani lo sanno, come sanno che la tua avventatezza ti è costata una gamba.

– Bene, cosí al bar hanno qualcosa di cui parlare che non siano le loro corna. Quanto a voi, se dovete benedirmi beneditemi, e poi andate via. Avere tempo da buttare non significa che lo butterò con voi.

Il prete non si mosse, fermo in piedi accanto alla porta con il berretto in mano come un questuante. Nicola lo fissò, in attesa.

– Non sono venuto a benedirti. Le benedizioni non si impongono a nessuno.

– Allora cosa? A maledirmi non c'è bisogno, lo vedete da voi.

– Non bestemmiare, la tua vita non è una maledizione, neanche se ti manca una gamba. È di questo che vorrei parlarti…

Gli occhi di Nicola erano due braci, il viso era pallido e rabbioso come neanche sua madre in quei giorni lo aveva visto mai.

– Voi vorreste parlarmi della mia vita? E cosa ne sapete voi, prete? Forse che vivete monco? – sorrise di scherno, abbassando lo sguardo sul sacerdote. – Certo, in qualche modo monco lo siete anche voi, o cosí almeno avete promesso di essere. Una cosa è dire «sono storpio per vocazione», ma intanto quello che non si usa è sempre lí, sia mai che uno cambia idea… – si sporse appena dall'appoggio dei cuscini, e per un attimo il vecchio prete fu contento che Nicola non potesse alzarsi dal letto. – Invece io non posso cambiare idea. E voi, vi assicuro, non sapete di cosa sto parlando.

Don Frantziscu non lo interruppe mai, né fece cenno di volerlo fare. Aveva imparato da tempo che qualunque questua può andar bene per chi non si aspetta niente, e poi Nicola non sembrava attendersi altra reazione a quello che era stato un chiarissimo invito al congedo. Ebbe da stupirsi quando il vecchio, anziché andarsene, gli replicò:

– Quindi, se ho capito bene, hai deciso di far sentire in colpa tutti quelli a cui sono rimaste due gambe, oltre a farti commiserare finché il Signore ti lascia fiato per lamentarti... – si grattò la testa con un gesto distratto, come riflettesse. – È normale, Nicola. Lo fanno in molti, e di solito sono coloro che non hanno il conforto della fede, o non lo vogliono avere.

– Don Frantziscu, non andate oltre, – la voce di Nicola adesso era calma, sommessa. – Non approfittatevi del fatto che siete ospite in casa di mio padre.

Il sacerdote non si scompose a quella minaccia nemmeno troppo velata, gli occhi fermi sul giovane al centro del letto. Seguitò a parlare con tono paziente, scandendo le parole come si rivolgesse a un bambino.

– È scritto di parlare al momento opportuno e anche a quello non opportuno, quindi parlerò, e quando me ne sarò andato tu avrai tutto il tempo per riflettere sul tuo dolore e sul suo significato. Un dolore che in qualche misura, non dimenticartelo, hai anche meritato causandone ad altri, ma che comunque non ti è dato di cambiare, se non accettandolo come Cristo Salvatore, che sulla croce patí ingiust...

– Fuori di qui!

L'esclamazione era un urlo rabbioso, a cui immediatamente seguí la traiettoria di un cuscino, troppo sbilenca per andare a segno. Nicola Bastíu era fuori di sé.

– Calmati, figlio mio...

– Non sono vostro figlio, o almeno lo spero, sottana gonfia! Non sono obbligato ad ascoltare le vostre minchiate. Fuori! Via!

Giannina Bastíu arrivò un istante dopo richiamata dalle grida del figlio, appena in tempo per vedere il prete infilarsi con calma la papalina sulla testa.

– Accompagna don Tzicu alla porta, mamma. Ha fretta e non può trattenersi oltre.

La madre fece finta di non essere accorsa per un trambusto, anzi sfoggiò imbarazzati modi urbani.

– Don Frantziscu, già andate via, e io non vi ho nemmeno offerto niente…

– Non preoccuparti, Giannina, tanto devo dire messa tra poco.

Nicola tacque mentre il vecchio prete e la madre lasciavano la stanza. Qualunque cosa si stessero dicendo nel corridoio, non si prese la briga di cercare di udirla, chiudendo gli occhi alla ricerca di una parvenza di sonno che spegnesse la sua rabbia anche solo per un'ora.

Capitolo decimo

Le mani unte di Giannina Bastíu scorrevano sulla pelle flaccida della coscia destra di Nicola con regolarità ipnotica. Nel sole ormai tiepido di ottobre il cortile dietro la casa mostrava l'ultima fioritura delle ortensie, mentre i crisantemi in boccio lungo il muro erano ritte promesse ancora tutte da mantenere.

Non appena mangiato, nell'ora piú calda della giornata, un Nicola indifferente lasciava che la madre compisse su di lui quel massaggio medicamentoso, indispensabile per evitargli le piaghe e agevolare la guarigione. I mesi di convalescenza erano passati meglio del previsto, e la sutura alla gamba monca si era cicatrizzata senza complicazioni. Come un transito di stagione, dopo le prime settimane di rabbia cieca anche l'atteggiamento di Nicola sembrava mutato. Non imprecava piú, aveva smesso di insultare chi veniva a trovarlo e c'erano sempre meno momenti di furia in cui lanciava gli oggetti a caso. Però non parlava. Non che fosse diventato muto, solo non diceva piú una parola che non fosse indispensabile, e aveva smesso di colpo di reagire agli stimoli circostanti. Il padre e il fratello ogni giorno lo sollevavano dal letto, lo mettevano su una sedia e lo trasportavano fuori nel cortile, senza che lui facesse nemmeno lo sforzo di puntellarsi a terra con la gamba sana. Era solo quando veniva a trovarlo Bonaria Urrai che sembrava scuotersi da quel torpore insano, fermando sulla vecchia sarta due occhi neri come stelle spente. Durante quelle visite sembrava meno irraggiungibile, ma non per questo si faceva loquace. Bonaria andava a trovarlo ogni giorno, ma non aveva mai provato a tirarlo dentro qualche discorso, si limitava a scambiare due chiacchiere con Giannina guardandolo di quando in quando. Se era sicura di incontrare Andría in casa, a volte Maria la seguiva in quelle visite, ma evitava di trattenersi con Nicola, vinta da un'inconfessabile repulsione per quella sofferenza che non era piú nemmeno un dolore. Aveva discusso qualche volta con la vecchia per evitare di andarci, perché non le riusciva di attribuire senso a quelle visite forzate; da un lato niente in Nicola faceva pensare che fossero gradite, dall'altro Maria preferiva passare i pomeriggi in casa a cucire i vestiti sui cartamodelli che arrivavano in negozio ogni mese, o andare a casa di Maestra Luciana a chiederle in prestito qualche libro da leggere la sera. Quel pomeriggio palesemente non aveva avuto la meglio: sedeva infatti con malcelata insofferenza accanto a Bonaria, evitando con scientifica determinazione di posare lo sguardo sul lavoro delicato di Giannina con Nicola.

– Vedi che bella giornata, figlio mio... tra poco farà piú fresco, andremo a fare la vendemmia e assaggerai il vino nuovo.

.Giannina Bastíu sembrava inspiegabilmente rinata dopo l'operazione del figlio. Superata la vergogna iniziale, aveva rimodulato i ritmi della casa intorno alla nuova esigenza rappresentata dall'avere un invalido da accudire, e a ogni ora si era data un compito, incurante della mancanza di segnali di gratitudine nel figlio. Anche quel pomeriggio Nicola non reagí in alcun modo a sentir nominare la vendemmia. Bonaria invece sorrise, e incalzò il discorso con apparente curiosità, mentre Giannina si asciugava le mani con uno straccio e ricopriva con attenzione la gamba di Nicola.

– Chicchinu lo avete già portato ad annusare l'aria della vigna, o anche quest'anno per sapere se è pronta aspettate che comincino a mangiarsi l'uva gli uccelli?

– Lo hanno già portato una volta, ma sembra che manchino ancora almeno due settimane. Sperando che il tempo si mantenga... Maria, verrai ad aiutarci quest'anno?

Costretta a distrarsi dalla sua continua ricerca di distrazione, Maria rimase sul vago, perché l'idea di ritrovarsi a lavorare fianco a fianco con le sue sorelle non le sorrideva particolarmente.

– Non lo so, Tzia Giannina, abbiamo tante cose da finire, ci sono già le ordinazioni per i vestiti di Natale... Ho paura che nemmeno lavorando tutti i giorni ce la farò, figuriamoci se manco, – mentre si alzava in piedi si voltò verso Nicola. – Anzi, io quasi quasi torno a casa a lavorare. Mi ha fatto piacere vederti, Nicola.

Nell'espressione di Nicola non cambiò niente, come se neppure l'avesse udita congedarsi. La madre con un sorriso imbarazzato tentò di porre rimedio a quel vuoto di cortesia.

– Oh, anche a lui molto, di sicuro! Ma è stanco... a volte uno si stanca di piú a non fare niente che a lavorare tutto il giorno in campagna, dicono. Ti accompagno alla porta, tanto devo andare a fare il caffè. Prima di uscire però prendi un altro dolce. Lo sai che si chiamano gueffus come certi cavalieri del Medioevo? Lo ha detto tua madre, che l'ha letto non mi ricordo dove...

Non fu neanche per dieci minuti che Bonaria e Nicola rimasero soli, ma lui li sfruttò fino all'ultimo. Appena sentí lo scatto della porta, sembrò svegliarsi dall'incantesimo dell'impenetrabilità con la prontezza di chi non aspettava altro momento che quello.

– Cosa avete deciso? – bisbigliò ansioso, mentre le ghermiva il braccio come un naufrago.

Lei si liberò dalla presa con fermezza, ma la risposta che gli diede era serena.

– Non c'è niente da decidere. Quello che mi chiedi non si può fare.

– Non ce la faccio piú a stare cosí. Non avete pietà del mio stato? – Nella voce di Nicola vibrava una nota di disperazione, ma Bonaria non se ne lasciò impressionare.

– Ne abbiamo già parlato, Nicola. Non lo farò.

Nicola si era preparato a quella resistenza con la stessa cura con cui in altri tempi aveva preparato le trappole per le lepri e i sostegni per le viti nei filari. Quando si ha abbastanza tempo, persino la rabbia si organizza. Per questo Bonaria aveva la certezza che stavolta non ci sarebbero state scenate.

– Eppure è quello che fate quando ve lo chiedono. Io non valgo quanto gli altri?

– Non hai mai capito niente della tua vita, Nicola, figurati della mia cosa puoi capire. Ti basta solo di sapere che non ti aiuterò.

Nicola sospirò come arreso, poi cambiò registro.

– Cosa direste se volessi sposare Maria? – chiese secco, lasciandola interdetta per un attimo.

– Che spetterebbe a Maria risponderti. Quando mai posso decidere io di una cosa simile.

La coperta sul grembo di Nicola fu fatta scivolare a terra con un gesto deliberato. Facendosi leva con le mani sui braccioli della sedia, il giovane assunse con sforzo la posizione piú eretta che gli riuscí. In quella parodia di un attenti sembrò sfidare Bonaria a guardarlo con il moncherino della gamba penzoloni, ancora arrossato dai postumi operatori.

– Guardatemi, Tzia, guardatemi la gamba: perché prendete in giro la verità? Maria non mi sposerebbe mai, nessuna mi sposerebbe mai, perché sono storpio. Non posso lavorare, non posso mantenere una famiglia, non posso fare niente di quello che una donna si aspetta da un uomo –. La voce dapprima pacata assunse una sfumatura via via piú tesa. – È come se fossi già morto.

Il corpo di Nicola in quei mesi aveva perso peso e tono, ma la struttura era sana e la volontà non sembrava da meno. Forse era quello il vero problema. Fosse stato spezzato nell'animo, si sarebbe rassegnato a subirsi. Invece la sua determinazione aveva qualcosa di ossessivo, era la stessa di sempre in tutte le cose. Che gli piacesse o no, Nicola Bastíu era una delle cose piú vive che Bonaria avesse mai visto, anche se non fu questo ciò che gli disse quando tornò a cercargli lo sguardo.

– Tua madre ti considera vivo, e ti vuole il bene dei vivi.

– Mia madre trova motivo di contentezza solo nel prendersi cura di qualcuno. Non le par vero che io sia tornato bambino, ma non è questo il motivo per me di stare al mondo.

– Di una cosa simile ne morirebbe, e anche tuo padre.

– Moriranno comunque, e dopo chi si occuperà di me? Mi laverà il culo la moglie di mio fratello? E quale donna lo sposerà, sapendo che nell'eredità è compresa anche la cura di uno storpio?

Bonaria chiuse gli occhi. Se Giannina Bastíu fosse entrata in quel momento avrebbe pensato che la vecchia si fosse assopita al sole, annoiata dalla conversazione muta di Nicola. Poi scosse il capo e li riaprí, vigile.

– Neanche se volessi potrei fare quello che mi chiedi senza il consenso della tua famiglia.

A Nicola si illuminò il volto; gli era sembrato di percepire l'ombra nebbiosa di una possibilità. Abbandonò la faticosa posizione eretta per adagiarsi nuovamente sulla sedia, incurante della coperta rimasta a terra. In quell'ostentazione impudica del moncherino, cosí incongruente con il rifiuto che aveva sinora mostrato per la sua mutilazione, c'era il ricercato uso di un'arma psicologica. Sarebbe stato un soldato meraviglioso, Nicola, o un farabutto come pochi.

– Non proverei nemmeno a cercare di ottenerlo, ma se voi voleste, c'è un modo per evitare di chiederglielo.

– Non esiste quel modo, e se esistesse non lo userei –. La voce di Bonaria era perentoria, ma gli occhi erano interrogativi, e Nicola se ne sentí incoraggiato.

– La notte di Ognissanti. Quando la porta viene lasciata aperta per la cena delle anime, voi potete entrare e uscire senza sospetto! Al mattino mi troveranno morto nel mio letto e penseranno a una disgrazia.

Bonaria si alzò in piedi di scatto e raccolse la coperta da terra, accosciandosi a sistemargliela nuovamente sulle gambe. La posa quasi intima consentí a Nicola di afferrarle nuovamente il polso, stavolta con insinuante delicatezza. Non parlò, e a quel silenzio Bonaria rispose con un sussurro:

– Mi chiedi di compromettermi davanti a Dio e davanti agli uomini. Sei fuori di te, Nicola.

– Non sono mai stato piú savio di oggi. Forse voi potete sopportare l'idea di vedermi come un verme per tutta la vita che vi resta, ma a me spetta un peso tre volte maggiore. Se mi aiuterete, passerà per morte naturale. Altrimenti il modo lo trovo io.

Nonostante la speranza di Nicola, fino a quel momento Bonaria Urrai non aveva preso in considerazione nemmeno per un attimo l'ipotesi di acconsentire alla sua richiesta. Furono quelle parole a farla tentennare per la prima volta, perché le aveva già sentite molti anni prima, quando dietro alla collina detta Mont'e Mari c'erano ancora un bosco e una gioventú da investire in promesse.

La guerra che poi sarebbe stata battezzata come Grande aveva già meritato l'aggettivo, chiamando da Soreni ben tre leve di maschi alla trincea del Piave, e non bastavano ancora. Dal fronte, insieme ai feriti gravi congedati, arrivavano notizie dell'eroismo della Brigata Sassari, e Bonaria ventenne aveva già visto abbastanza mondo da sapere che la parola «eroe» era il maschile singolare della parola «vedove». Ciononostante era proprio sposa che le piaceva immaginarsi, quando, sdraiata sul prato sotto gli alberi di pino, stringeva al seno la testa ricciuta di Raffaele Zincu, inspirando a pieni polmoni i profumi della terra resinosa.

Raffaele non era bello nel vero senso del termine, eppure a Soreni ogni donna da marito se lo sognava sposo suo. Per dovere di verità poteva darsi che se lo sognasse anche qualche donna che il marito lo aveva già, perché di uomini ce n'erano di piú ricchi o di piú alti, ma nessuno a vent'anni aveva avuto nello sguardo quel verde acuto e beffardo, che frugava gli occhi altrui come se non avesse paura del prezzo da pagare. Raffaele aveva il labbro inferiore morbido come quello di una femmina, e un carattere capriccioso e sensuale che accendeva le guance solo a parlarci; a Bonaria non importava che la linea arrogante della mascella mettesse in guardia sulle potenzialità non tutte innocue del capriccio. Da quando era ragazzino lavorava la campagna di Taniei Urrai insieme a decine di altri, raccogliendo i meloni d'estate e le olive in inverno con un'energia che gli aveva meritato la stima del padrone e dei compagni. Chi abbacchiava gli olivi con lui finiva la giornata prima e meglio, e il vecchio Urrai spesso a cena ne vantava i risultati, ripetendo che Raffaele era un balente di mano e di parola; Bonaria, che di Raffaele conosceva anche altre balentíe, annuiva con studiata parsimonia. Dove suo padre contava viti, lei contava pini, e se lui sognava mari di spighe dorate, lei aveva campi di riccioli scuri dove lasciar correre la mano in certi pomeriggi di sabato, quando non c'era babbo e non c'era guerra capace di portarle via il fuoco di Raffaele dal sangue. Parlavano anche, a volte per ore, soprattutto della possibilità che lui venisse chiamato al fronte; ma nei discorsi di Raffaele il viaggio era sempre quello di ritorno.

– Mi vorrai ancora se torno come Vincenzo Bellu?

– Senza un braccio? Certo, cosí ti fanno cavaliere di Vittorio Veneto, e io diventerò cavallerizza! – Bonaria aveva riso sommessamente, sfiorandogli le orecchie con una carezza distratta.

– Non sto scherzando. Mi vorresti anche storpio? Sordo per una granata, o senza gambe come Luigi Barranca?

– Io ti vorrei indietro in tutti i modi, basta che non sia morto.

La risposta categorica di Bonaria non l'aveva rassicurato. La voce di Raffaele in quella posizione aveva un tono piú cupo del solito.

– Forse tu puoi sopportare l'idea di avermi indietro come un verme, ma io preferirei morire dieci volte da vivo che vivere anche solo dieci anni come uno che è morto. Se mi succede una cosa simile, faccio come Barranca e mi sparo.

– Non farti nemmeno sentire a dirlo, Arrafiei...

Bonaria non aveva osato guardare il cielo mentre gli posava la mano sulla bocca per soffocargli le parole, sollevandogli la testa per farsela scivolare sul grembo. Nel guardarlo in quell'ombra di pace lo vedeva perfetto come mai prima, vibrante di uno spirito cosí vitale che sembrava non bastargli nemmeno quel corpo sano, intatto in ogni parte.

– Non ti chiameranno, vedrai… – aveva mormorato come un esorcismo.

– Non lo so, ma se parto, tu prega che torni. Quando torno, poi il resto lo vedo io.

Invece lo avevano chiamato, e Bonaria era stata costretta a pregare per trentacinque anni, perché nessuno era tornato a Soreni a raccontare che il figlio di Lizio Zincu in trincea era stato un eroe.

Quando Giannina Bastíu tornò nel cortile con il vassoio del caffè fumante in mano, Nicola era solo nel sole in mezzo a tre sedie vuote, e aveva uno strano sorriso.

Capitolo undicesimo

Le anime ci conoscono, sono dei nostri parenti, e quindi non ci faranno del male, perché gli abbiamo cucinato anche la cena. Andría Bastíu a questo pensava, mentre si preparava alla notte del primo di novembre nella sua stanza. Si tolse le scarpe che usava in campagna, ma rimase vestito, che di dormire non aveva nessuna intenzione. L'anno precedente la madre lo aveva fatto stancare apposta tutto il giorno a raccogliere patate, e a sera si era addormentato senza volerlo, tradito dal corpo. Ma stavolta non l'avevano fregato, era sveglio e avrebbe visto le anime mangiare e prendere il tabacco trinciato lasciato sulla tavola, dove la mattina si trovavano impressi i segni delle dita. Cosí avrebbe saputo cosa rispondere a Maria, quando diceva che le anime non andavano in giro a tormentare nessuno, che la misericordia di Nostro Signore Gesú Cristo non lo permetteva. Se Nostro Signore Gesú Cristo aveva permesso che suo fratello perdesse una gamba, figurarsi se non permetteva ai morti di mangiarsi due culurgiones.

Per questo in silenzio si era messo seduto su uno scannetto di ferula che usava da bambino, e che gli faceva sentire i chiodi sul culo, restando davanti allo spiraglio della porta con la determinazione della sentinella al confine. Dopo venti minuti il sonno già lo lusingava, ma Andría rimase acquattato dietro l'anta socchiusa, deciso a tenere sott'occhio la linea del corridoio che portava dall'uscio esterno alla mensa imbandita, in attesa delle anime dei morti. Di anime in quella notte ne vanno in giro tante, gliel'aveva detto Nicola, che l'anno precedente aveva visto persino l'anima di Antoni Juliu, il fratello grande della madre, che camminava per la strada verso casa loro. Antoni Juliu era andato emigrato nella miniera in Belgio, e ogni volta che tornava non sembrava nemmeno fosse a casa sua: si guardava attorno come uno che avesse creditori, e il nero del carbone da sotto le unghie non gli andava mai via. Non era felice di partire, ma di tornare ancora meno. Si era impiccato nel podere dei Gongius la terza estate, facendo venire un colpo ai mezzadri che lo avevano trovato appeso al ramo come una pera marcia, con la lingua di fuori, emigrato da sé stesso verso chissà dove.

Magari sarebbe venuto proprio Antoni Juliu, quella notte. C'era il piatto preparato apposta con il bicchierino di abbardente vicino, che l'acquavite gli piaceva, e tanto anche. Se non fosse venuto a berlo, l'indomani lo avrebbe bevuto suo padre prima di pranzo, o Nicola, che Dio sa se ne aveva bisogno. Ma non poteva essere l'anima di Antoni Juliu la figura che percorreva il corridoio nera come una bestemmia, sfilando innanzi alla porta di Andría con un fruscio di gonna. Non poteva essere di suo zio quel capo coperto dal fazzoletto nero, quel passo sicuro di persona che non aveva mai lasciato la sua terra per bisogno.

Quando Andría scorse la figura misteriosa entrare in casa, chiuse gli occhi incredulo, oppresso dalla differenza tra la fede e la verità. Avevano morti femmina nella loro famiglia? Avrebbe voluto subito chiudere la porta della camera, premendola forte per farci battere la paura contro, ma l'anima sarebbe stata troppo vicina per non accorgersene. Fortunatamente la sagoma si fermò poco prima della sua stanza, davanti alla porta di Nicola. Andría la vide entrare, poi inspirò un filo di fiato, e in un silenzio che sperava perfetto, fece la prima cosa avventata della sua vita, uscendo dalla propria camera per imboccare il corridoio.

In una notte come quella delle anime la campana non suonava. Poteva essere un'ora qualsiasi, e non sarebbe cambiato niente. Lungo le vie tutte le porte delle case erano aperte nonostante il freddo, come se ogni famiglia di Soreni fosse fuggita troppo in fretta per ricordarsi di chiudere l'uscio. Familiare a quella notte piú che a ogni altra dell'anno, la donna alta che camminava lungo la strada rasentando i muri aveva il passo di chi sa perfettamente dove andare. Si muoveva rapida, stretta in uno scialle scuro, finché le pieghe della gonna non smisero di infrangersi sulla soglia della casa dei Bastíu. La donna entrò senza far rumore, scivolando nel corridoio troppo in fretta per lasciare ricordo di sé alla strada. Persino nella notte di quella casa si muoveva sicura con il piglio di un familiare, scorrendo le porte delle stanze fino all'unica che sapeva non essere chiusa, quella dove Nicola Bastíu, stordito dal dolore e dall'attesa, dormiva di un sonno ladro.

Sognava il mare, Nicola, quello dei suoi vent'anni, l'unico che avesse visto mai. Otto anni prima ci si era immerso fino al petto con i calzoni arrotolati, lasciandosi urtare dall'acqua dura di sale. I suoi cugini schizzavano le onde e lanciavano l'anguria come se fossero sul fieno dietro casa. Lui invece guardava la fine del mare a occhi spalancati, e piú la guardava e piú gli veniva di camminare arretrando piano verso la riva, senza correre e senza voltarsi, come si fa con certi serpenti. Nel sogno era come tornare a quel giorno di pasquetta, ma la sabbia sul fondo del mare era molto piú vischiosa, era un mostro senza ossa che non lo lasciava camminare. Se avesse potuto morire cosí, affogando nell'acqua dei sogni, sarebbe stato meglio per tutti. Invece aprí gli occhi di colpo, annaspando monco tra le lenzuola. Gli ci volle qualche minuto per ricordarsi chi e cosa era, che riemergere da sé stessi è tanto piú difficile quanto piú si è profondi. Soltanto allora percepí il respiro della figura magra che violava l'aria della camera, ferma contro il muro davanti al suo letto. Uomo di molte parole Nicola non era stato mai, ma in quel momento nemmeno il silenzio gli sembrò giusto da dire.

– Siete venuta… – bisbigliò rauco e pallido.

Lei si accostò al letto, replicando solo quando fu cosí vicina che a Nicola sembrò di sentirle addosso l'odore amaro dei vecchi. Quando la donna parlò, seppe di essere davvero sveglio.

– Come sono venuta posso anche andarmene. Dimmi che hai cambiato idea e uscirò da qui senza girarmi. Giuro che non ne parleremo mai piú, come se non fosse mai successo.

Nicola rispose troppo in fretta, come non volesse lasciarsi il tempo di dubitare.

– Non ho cambiato idea. Sono già morto, e voi lo sapete.

Lei lo guardò negli occhi, orientando il capo per impedirgli di fare altrettanto. Ci vide quello che non cercava e sussurrò con voce stanca:

– No Nicola, non lo so. Solo tu lo puoi sapere. Io sono venuta pronta, ma prega che il Signore faccia cadere su di te la cosa che mi chiedi, che non è benedetta, e nemmeno necessaria…

– Per me è necessaria, – disse Nicola accettando la maledizione con un cenno lieve del capo.

La vecchia intanto schiudeva lo scialle per rivelare le

mani strette attorno a un piccolo contenitore di coccio con
la bocca larga. Quando l'accabadora sollevò il coperchio,
dal contenitore si levò un filo di fumo. Nicola Bastíu accolse l'odore acre, non se lo aspettava diverso, e lo inspirò
profondamente, mormorando parole sommesse che la vecchia non diede segno di aver udito. L'uomo trattenne dentro ai polmoni quel fumo tossico, chiudendo gli occhi stordito per l'ultima volta. Forse dormiva già quando il cuscino
gli venne premuto in viso, perché non sobbalzò né si oppose. O forse non si sarebbe opposto comunque, che non
era cosa per lui morire diversamente da come era vissuto,
senza respiro.

Andría Bastíu, freddo di terrore, osservò dallo spiraglio della porta l'anima femmina e nera parlare con suo fratello, prima di vederla chinarsi con il cuscino in mano. Non
vengono a fare *quello*, le anime. O forse sí, invece. Ed è per
questo che sua madre diceva che la porta bisogna chiuderla, ma chiuderla bene, non tenerla socchiusa a fare invidia
ai morti con il respiro, perché poi vengono ed ecco, te lo
rubano via dentro un cuscino. E la cena è una scusa per
distrarli, non per compiacerli. Mangiano finché viene giorno, nel buio della casa scambiano il sugo dei culurgiones
per sangue e la carne del porcetto per cosce e guance ancora rosse, e non si accorgono che dietro le altre porte ci
sono i vivi interi, se nessuno glielo ricorda. In quell'istante Andría seppe che, se fosse sopravvissuto, non avrebbe
mai piú toccato un culurgione in vita sua.

Quando la figura dell'anima femmina si mosse dal letto
di Nicola per rimettergli il cuscino sotto la testa, Andría
arretrò ciecamente nel corridoio, mimando con le labbra
pezzi sparsi di *Pater ave gloria*, mai saputo bene. Riuscí solo per caso a non infrangere il silenzio che lo aveva protet

to, giungendo fino a mettere tra sé e l'apparizione lo spessore irrisorio della porta della sua stanza. Nel gesto cauto di chiuderla colse la figura che camminava rapida verso l'uscita. Una zia, una nonna, la sorella di sua madre annegata, chiunque fosse ora lui non voleva piú saperlo, ma non fece in tempo a vedere esaudita la preghiera: bastò un raggio di luna dall'uscio spalancato perché Andría Bastíu riconoscesse nel volto rigato di lacrime della donna che percorreva lesta il corridoio i tratti inconfondibili di Bonaria Urrai. Poi tornò notte, veramente.

Capitolo dodicesimo

Come gli occhi della civetta, ci sono pensieri che non sopportano la luce piena. Non possono nascere che di notte, dove la loro funzione è la stessa della luna, necessaria a smuovere maree di senso in qualche invisibile altrove dell'anima. Di quei pensieri Bonaria Urrai ne aveva diversi, e aveva imparato nel tempo a prendersene cura, scegliendo con pazienza in quali notti farseli sorgere dentro. Non aveva pianto molto mentre veniva via da casa dei Bastíu portandosi il peso del respiro di Nicola, ma ognuna di quelle lacrime aveva lasciato un solco nuovo sul volto dell'accabadora già segnato dal tempo. Se il sole fosse sorto in quel momento Bonaria Urrai sarebbe sembrata di molti anni piú vecchia di quanto non fosse, e lei quegli anni se li sentiva uno per uno. Erano passati decenni da quando aveva visto acconsentire per la prima volta a una richiesta di pace fatta in letto di morte, ma avrebbe potuto dire con certezza che né allora né poi c'era mai stato quel peso che ora si sentiva addosso come un manto bagnato.

Ricordava bene, non era nemmeno quindicenne quando accadde la prima volta, il giorno che insieme alle donne di famiglia aveva accudito il parto in casa di una cugina di suo padre; quelle tredici ore di travaglio erano costate piú alla madre che al neonato, comunque nato vivo. Né brodo di pollo né preghiere erano bastate a fermare l'emorragia, a cui erano seguiti dei giorni di agonia tali da spegnere del tutto la speranza di una ripresa. La stanza allora era stata liberata da ogni oggetto benedetto, da ogni dono di buonaugurio e da ogni quadro con soggetti religiosi, perché quel che prima aveva protetto la puerpera non finisse per legarla a uno stato di sofferenza senza via d'uscita. Quando la stessa donna aveva chiesto la grazia, le altre avevano agito per lei in un clima di condivisa naturalezza, dove atto illecito sarebbe parso piuttosto il non far nulla. Nessuno le diede mai spiegazioni, ma a Bonaria non ne servivano per capire che alla sofferenza della madre si era posto fine con la stessa logica con cui era stato reciso il cordone ombelicale del bimbo.

In quella prima e amara scuola di fatto, la figlia di Taniei Urrai apprese la legge non scritta per cui sono maledette solo la morte e la nascita consumate in solitudine, e non aveva nessuna importanza che il suo compito fosse stato solo quello di guardare. A quindici anni Bonaria era già in grado di capire che certe cose, farle o vederle fare è la stessa colpa, e mai da allora le era venuto il dubbio di non essere capace di distinguere tra la pietà e il delitto. Mai prima di quella sera, quando negli occhi di Nicola Bastíu aveva letto la determinazione di chi cerca disperatamente non la pace, ma un complice.

Non vennero anime in visita nella casa di Bonaria Urrai in quella notte, ma la porta rimase aperta fino all'alba, quando il suono delle campane a morto svegliò Soreni dal torpore del sonno. Maria trovò la vecchia seduta con gli occhi fissi al camino spento, raggomitolata nello scialle nero come un ragno intrappolato nella sua stessa tela.

Quando andarono a dirgli che c'era un morto a casa dei Bastíu, don Frantziscu Pisu pensò fosse venuto un colpo al capofamiglia. Girava voce per tutto il paese che il vecchio Salvatore si logorasse da mesi per la disgrazia accaduta al figlio maggiore, e se con Nicola fingeva che ogni cosa si sarebbe aggiustata, nell'intimità alcolica delle sue amicizie celebrava amaramente il lutto del figlio, morto a tutte le possibilità che facevano degna la vita di un uomo. D'altro canto per settimane nei capannelli dei bar e sulla soglia delle case al tramonto non si era parlato d'altro. Argomenti diversi dal fatalismo non avevano aiutato Salvatore a immaginare un futuro accettabile per il figlio, perché se è vero che dal legno non nasce il ferro, il vecchio Bastíu non avrebbe saputo ipotizzare una maledizione peggiore che vivere nel presente facendo parlare di sé al passato.

Conoscendo le cose come stavano, quando don Tzicu seppe che il morto era Nicola, si segnò con un gesto a metà tra la croce e lo scongiuro, e andando verso casa loro si sentiva addosso lo scrupolo tardivo di non aver insistito a sufficienza per indurre il giovane Bastíu a considerare il suo stato come un mistero della volontà divina. Il fatto era che, pur essendo convinto che almeno metà delle cose della vita fossero misteri della volontà divina, Frantziscu Pisu sapeva bene che l'altra metà erano frutti chiari della stupidità degli uomini; e quel che era accaduto a Nicola Bastíu trovava sicuramente migliore spiegazione in quella seconda ipotesi. Il non saper mentire era la piú marcata tra le incapacità di Frantziscu Pisu, e per un prete non era certo un difetto da niente. Certo, a sapere che Nicola sarebbe morto cosí, magari nella pietosa menzogna ci si sarebbe impegnato di piú, ma chi poteva supporre che il disgraziato avrebbe scontentato il cielo al punto da subire la sventura di una morte nel sonno? Persino tra quelli con cosí poca memoria da credersi con la coscienza a posto, non c'era chi non si augurasse il riscatto estremo del buon ladrone in croce, e il vecchio prete, che la memoria invero l'aveva piuttosto buona, entrando a casa dei Bastíu si dedicò un *Pater noster* con autentico fervore di scongiuro.

Nel corridoio erano presenti solo i familiari strettissimi, e la salma non era ancora stata preparata per subire la processione di condoglianze che avrebbe riempito la casa di grida e pianti nelle ore successive; si percepiva un'atmosfera attonita di incompiutezza, acuita dalla tavola dei defunti rimasta imbandita e ben visibile dal corridoio, che lasciava intuire quanto quella morte avesse colto la famiglia di sorpresa. Giannina, preda di un doloroso immobilismo, era nella stanza spalancata di Nicola e non si era nemmeno vestita di nero; nel vedere il prete entrare non mostrò traccia della solita cortesia, e continuò a starsene seduta accanto al letto in silenzio, facendosi tenere la mano da quella del figlio morto, fredda ma ancora morbida. Fu Salvatore Bastíu ad accoglierlo, e don Frantziscu se lo vide venire incontro impacciato e pallido; sembrava un innocente che avesse ricevuto sentenza di condanna, senza un'ombra della sua consueta arroganza.

– Grazie di essere venuto, don Frantziscu. A Giannina una parola buona non le fa male di certo in questa disgrazia...

Il prete annuí e levandosi la papalina fece per accostarsi con discrezione alla donna accanto al letto. Solo nell'avanzare si rese conto che nella stanza c'era anche un'altra persona. In piedi nell'angolo della porta, Andría Bastíu teneva le braccia incrociate dietro la schiena, con le spalle puntate al muro e lo sguardo fisso sul letto dove giaceva immobile il corpo del fratello. Il ragazzo accennò rigidamente un cenno del capo, fissando il prete con gli occhi febbricitanti di un insonne.

– Giannina... – don Frantziscu si rivolse alla donna con delicatezza, e lei gli replicò come a una domanda.

– Non era cattivo Nicola, era un figlio buono...

– Lo so, Giannina, lo so...

– Beneditemelo allora. Che il Signore lo prenda com'è, che non era cattivo mio figlio...

Mentre ripeteva quelle parole, Giannina Bastíu perse qualcosa della calma che aveva mantenuto fino a quell'istante, lasciando che le lacrime le cadessero dagli occhi senza gemiti ad accompagnarle. Don Frantziscu si mise la stola violacea al collo e usò la preghiera come forma di rispettoso diversivo. Mentre in nome di Dio il prete faceva subire alla salma inerme quello che in vita Nicola non avrebbe mai accettato, Andría uscí bruscamente dalla stanza lasciando la madre a consolarsi col latino ritmico delle orazioni. Insieme al padre attese fuori finché il prete non uscí, assistendo in silenzio alla loro conversazione.

– Si sa cosa è stato? – domandò don Frantziscu.

– Dottor Mastinu ha parlato di un infarto. Mi pare impossibile, se c'era una cosa che a mio figlio era rimasto buono era il cuore... – il vecchio Bastíu scosse la testa incredulo.

– Il Signore non coglie frutta acerba, Salvatore. Tutti vanno via quando devono andare. Fatevi forza.

– Non è la forza che manca, don Frantziscu... è che il dolore è una brutta cosa, se uno non lo prova non lo sa.

– Consolatevi pensando che dove è sta meglio...

A coronamento di quelle frasi fatte, il prete si rivolse ad Andría, che non aveva annuito a nessuno dei suoi inviti alla rassegnazione. Alle spalle di Salvatore come un'ombra, il ragazzo sembrava in attesa.

– Adesso che sei rimasto solo tu, devi essere di conforto a mamma e babbo...

– Quando mi sarò confortato io, forse, – rispose Andría seccamente.

Il padre lo guardò sorpreso da quel tono, ma l'occhiata che ricevette lo scoraggiò dal muovere rimprovero nel giorno in cui i freni lenti della lingua potevano trovare facile giustificazione. Il prete provò a fare atto di insistenza, ma Andría aveva già portato l'attenzione oltre la sua spalla, con lo sguardo rivolto a chi stava varcando la soglia in quell'istante. Nel voltarsi a seguirne la traiettoria, don Frantziscu Pisu riconobbe nei nuovi giunti la figura alta e magra di Bonaria Urrai e quella sottile di Maria Listru, e improvvisamente gli parve che non ci fosse mai stato un momento migliore per porre fine alla sua permanenza lí. Maria lo salutò cordialmente mentre se ne andava, Bonaria Urrai invece lo degnò appena di uno sguardo, diretta già verso il morto e sua madre a fare quello per cui era venuta.

Due ore dopo, quando le visite formali cominciarono ad arrivare ciascuna con la sua opportunità, la salma di Nicola era stata predisposta ad accoglierle ben distesa sul letto, con l'abito buono che gli aveva cucito proprio Bonaria due anni prima per la festa di San Giacomo. Dai calzoni scuri imbottiti ad arte non si distingueva la gamba amputata dall'altra, e sul viso sbarbato con cura, Nicola aveva un'espressione talmente serena e rilassata da dare a Maria la surreale impressione di gradire finalmente le visite. Non era stata contattata alcuna attittadora professionista per quella veglia, ma molte donne vestite di nero arrivavano comunque a titolo gratuito piangendo con grida forti, mentre gli uomini attendevano fuori che l'ostensione del dolore cessasse di essere rappresentata, prima di entrare a dare le loro piú composte condoglianze alla famiglia.

A Luvè e a Illamari, che avevano entrambe l'aspirazione di diventare cittadine, usava sempre piú spesso non portare il nero per il morto, e si verificava con una frequenza crescente che le famiglie piú abbienti e colte dispensassero dalle visite di lutto; ma a Soreni nessuno riteneva di essere arrivato a un punto di civiltà tale da poter rifiutare la solidarietà dei compaesani nel momento della morte di un familiare, o di non vestire il nero per onorarlo. Per Maria poi, nata da padre già morto, il nero era il colore naturale delle cose di tutti i giorni. Chi nasce orfano impara da subito a convivere con le assenze, e proprio come quelle assenze, lei si era fatta l'idea che anche il lutto dovesse durare per sempre. Fu solo crescendo che cominciò a vedere mogli e figlie di certi morti cambiare d'abito con il cambio di stagione.

Anni prima, in un pomeriggio di sole non molto diverso da quello, quando Tzia Bonaria iniziava a insegnarle a cucire cose piccole da bambine, le aveva chiesto spiegazioni di quei terremoti d'armadio.

«Quando finisce un lutto, Tzia?»

La vecchia non aveva alzato nemmeno la testa dal grembiulino che stava rifinendo.

«Che domande mi fai... quando finisce il dolore finisce il lutto».

«Quindi il lutto serve a far vedere che c'è il dolore...», aveva commentato Maria credendo di capire, mentre la conversazione già sfumava nel silenzio lento dell'ago e del filo.

«No, Maria, il lutto non serve a quello. Il dolore è nudo, e il nero serve a coprirlo, non a farlo vedere». L'aveva guardata per un istante, poi le aveva sorriso. «È storto il fiore che hai fatto, fammi vedere...»

Per Maria quelle parole erano state un monito incomprensibile, ma il loro ricordo era tornato molte volte negli anni seguenti, quando le era capitato di vedere certi occhi cambiare piú in fretta degli abiti, e i passi rapidi del finto pudore diventare danza con il morto ancora caldo in casa. Invece, davanti a Giannina Bastíu che stava accucciata accanto al figlio con un abito a fiori sgargianti che non aveva una sola macchia di nero, Maria vide con chiarezza che quella era la donna piú a lutto che avesse mai pianto un morto a Soreni, e comprese finalmente cosa aveva voluto dire Bonaria Urrai quella volta. Avvertendo il bisogno di aria pulita, fece un cenno alla Tzia e uscí dalla porta, lasciandosi alle spalle la voce delle donne che lagnavano il rosario al morto come una ninna nanna.

Andría era lí insieme agli uomini, e come la vide si staccò da loro e le venne incontro.

– Andrí, che disgrazia, non so cosa dire…

– Allora almeno tu non dire niente, che di cazzate per oggi ne ho sentite già troppe.

Maria guardò l'amico stupita per quel linguaggio rabbioso, ma non osò commentarlo. Cercò piuttosto un altro argomento di cui parlare, ma non trovando niente di piú adatto del silenzio, tacque. Fu lui a prenderla in contropiede.

– Verrai alla vigna a fare la vendemmia con noi la settimana prossima?

– Non dire sciocchezze, Andría. Tuo fratello è morto, e se non glieli raccolgono gli amici, tuo padre farà marcire i grappoli sulle viti –. Maria era troppo sconcertata per essere diplomatica.

– L'ultima cosa che Nicola avrebbe voluto era quella –. Mentre parlava Andría diede un calcio leggero a una pietra, mandandola a sbattere stancamente contro il muro di fronte.

– Ne avrebbe volute di cose Nicola… ma la vendemmia è una festa, e dove mai le feste si fanno a morto fresco? – Maria cercò di stemperare il rifiuto con la prospettiva del futuro. – Vi aiuterò l'anno prossimo.

– L'anno prossimo… – mormorò Andría a fior di labbra, guardandosi ostinatamente il piede.

Maria attese invano che sollevasse gli occhi, ma lui non lo fece. Immobile a un lato della facciata, puntava il terreno come se avesse perso qualcosa, e tremava appena. Maria capí cosa stava per succedere, che lei e Andría erano cresciuti insieme, e per quanto questo fosse un problema notevole tra di loro, in certi casi tornava utile riuscire a vedere prima e meglio degli altri anche segnali lievi come quello.

– Andiamo via da qui, andiamo in cortile, vieni…

Maria gli infilò il braccio nell'incavo del suo e gli fece attraversare la casa rapidamente, evitando con cura di accostarsi al luogo dove si svolgeva il pianto comune di Nicola Bastíu. Giunsero al cortile appena in tempo. Andría posò una mano contro il muro di cinta esterna, e chinando la testa diede di stomaco, senza nemmeno curarsi di allargare le scarpe per non imbrattarle. Il corpo fu scosso dagli spasmi per un numero di volte che a Maria sembrò infinito, e solo quando non gli rimase piú nemmeno il fiele Andría sollevò la testa all'aria, chiudendo gli occhi congestionati dallo sforzo. Nessuno li aveva visti.

– Stai meglio? Lavati la faccia nel vascone, dài…

Andría non si prese la briga di mentire dicendo che stava meglio, ma si accostò alla vasca di cemento per il bucato senza discutere, aprendo il rubinetto per obbedire. Mentre si sciacquava il volto con l'acqua gelata ritrovò lucidità. In fondo, in tutti quegli anni non aveva fatto altro che quello: obbedire a Maria, ascoltare Maria, dare retta a Maria. Ed era stato felice di farlo, perché Maria era intelligente, ed era buona, non gli aveva mai chiesto di fare niente che non fosse giusto per lui. Se Nicola avesse avuto una come Maria vicino, non sarebbe mai andato a mettere fuoco al podere di Manuele Porresu, e adesso non sarebbe stato orizzontale in casa, freddo come una rana in mezzo al canto di venti vecchie nere. Mentre l'acqua gli gocciolava giú dalla faccia, Andría sollevò gli occhi a guardare Maria, vestita anche lei di nero per l'occasione, ma bella come se fosse stata color geranio, o bianca come una sposa. In tutta Soreni non c'era agli occhi di Andría una ragazza che potesse anche solo somigliare a Maria per bellezza, e suo fratello lo aveva sempre saputo, senza che fosse stato mai necessario confidarglielo. «Glielo hai detto a Maria Urrai che ti sei innamorato, o glielo devo scrivere io sul muro di casa?» Andría nemmeno con due litri di acquavite in corpo avrebbe mai trovato il coraggio di dire a Maria cosa provava, e Nicola lo sapeva benissimo, però non era andato mai a dirlo a nessuno, perché aveva le cose sue da pensare, doveva andare a mettere fuoco a un podere, aveva urgenza di lasciarci una gamba, e poi anche la voglia di vivere, e infine il respiro dentro un cuscino, perché il fuoco fa quello e anche altro, continua a bruciare pure dopo che è spento, non lo sai, Maria? Lo hai mai visto davvero bruciare il fuoco tu?

– Cosa stai dicendo, Andrí?

Nemmeno si era accorto di aver parlato a voce alta, ma ora che lo aveva fatto, non vedeva ragione per non continuare. Con una notte in bianco addosso, e il dolore che gli stringeva il ventre in una morsa, soggiunse in un mormorio:

– Maria, vuoi diventare mia moglie?

Lei lo guardò come si guardano i panni stesi che tardano ad asciugare. Con un movimento pratico gli porse l'asciugamano.

– Se non avessi appena visto cosa avevi nello stomaco, giurerei che sei ubriaco, Andría. Asciugati.

– Non sono ubriaco, non sono mai stato piú sobrio di adesso... – biascicò lui afferrando l'asciugamano. Quando il viso riemerse asciutto dalla stoffa, la guardò di nuovo, e si fece coraggio. – Tu mi sposerai?

– Se stai dicendo sul serio, la risposta è no. Non sposerei te per lo stesso motivo per cui non sposerei mia sorella Regina –. Era evidente che non lo prendeva sul serio, e anche questo per Andría era familiare. Fastidiosamente familiare.

– Non credi a una parola di quello che ti dico. Mi tratti come uno che non capisce...

– Come vuoi che ti tratti, se mi chiedi di sposarti davanti al tuo vomito mentre c'è il cadavere di tuo fratello morto in casa?

In qualunque altro momento Andría avrebbe riconosciuto che il ragionamento di Maria non faceva una piega, ma se fosse stato capace di seguire la logica, sarebbe stato semplicemente zitto, e non lo fece.

– E se te lo richiedo domani con mio fratello sottoterra, mi risponderai o no?

Maria cominciò a intuire che Andría non stava affatto scherzando. Impallidí, ma prese tempo.

– Non mi sembra il caso di parlarne ora...

Andría, che la conosceva bene quanto lei conosceva lui, intuí il trucco del depistaggio che tante volte le aveva visto mettere in atto, e rise con amarezza, perché era già una risposta.

– Ho capito. E sono veramente un fesso. Tu mi vedi davvero come vedi tua sorella, come uno che non è nemmeno un maschio...

– Stai infilando una sciocchezza dietro l'altra, Andría, non ti ho mai sentito sragionare cosí...

– No, invece non ho mai capito le cose bene come adesso. Sei tu che non capisci, e non hai mai capito cosa sentivo io per te.

Maria era caduta in un profondo imbarazzo. La sofferenza dell'amico era evidente, e avrebbe fatto qualunque altra cosa lui le avesse chiesto per aiutarlo a superarla, persino mentire. Ma non su una cosa come quella.

– Quando mai ti ho fatto credere di amarti...

Andría abbassò gli occhi alle scarpe schizzate di vomito. – È perché io non ho studiato? Perché mi sono fermato alle elementari?

– No, cosa c'entra...

– Invece c'entra, secondo me. Maestra Luciana ti ha sempre detto che eri intelligente, che avresti fatto strada, che ti meritavi questo e quello...

– Andría, sono una sarta. Non andrò promessa sposa al principe di Galles. Io valgo come te.

– Allora perché non mi vuoi?

– Perché non ti amo. Mi sono sempre considerata tua sorella.

– Io lo avevo già un fratello! – urlò lui rabbiosamente. Poi aggiunse con cattiveria: – E Bonaria Urrai me l'ha ucciso.

Maria lo guardò stupita, ma con il viso stravolto e gli occhi arrossati Andría le apparve come privo di senno. Fu il pudore per lui a farle distogliere gli occhi, quasi non volesse rischiare di imprimerselo nella memoria in quelle condizioni.

– Andrí, non sai quello che dici, – mormorò recuperando l'asciugamano e cominciando a piegarlo.

– Invece lo so. Lo ha ucciso lei.

In quell'insistenza c'era qualcosa di non aggirabile, che la innervosí. Maria mise da parte gli scrupoli e tornò a fissarlo, lasciando che la durezza crescente trasparisse anche dalla voce.

– Adesso basta. Stare male non ti autorizza a mancare di rispetto.

Gli voltò le spalle per rientrare in casa, ma lui non aveva nessuna intenzione di lasciarle la vittoria di un rimprovero come ultima parola. La raggiunse con uno scatto repentino, stringendole la presa intorno al braccio.

– Lasciami andare. Puzzi di vomito.

– No, finché non mi ascolti. Chiedi a Tzia Bonaria dove è stata stanotte... – insinuò con gli occhi vitrei, accostando il viso al suo.

– A dormire, come tutti noi, – replicò Maria secca.

– Oh no, bellina. Non tutti noi. Io ero sveglio, e ho visto cosa ha fatto. È venuta qui, e ha ucciso mio fratello premendogli un cuscino in faccia.

Maria ricambiò il suo sguardo con una freddezza che Andría non le aveva mai visto, e che lo fece sentire meno di un verme. In quel momento avrebbe voluto riportare indietro il tempo e rimangiarsi ogni singola parola.

– È venuta qui? – chiese Maria lentamente.

Andría le lasciò il braccio subito, indietreggiando di un passo, e poi di un altro.

– No, non è venuta qui... Scusa. Non so quello che dico... – balbettò, sfuggendo il suo sguardo.

Quel diniego allarmò Maria piú di una conferma. Vinse la distanza che lui stava creando, incalzandolo.

– Dimmi cosa hai visto.

Era un ordine, e Andría capí in quel momento di aver superato il punto da cui non era piú possibile tornare indietro per rimettere le cose a posto. Schiacciato dalla sua leggerezza, si lasciò scivolare per terra e raccontò tra le lacrime ogni cosa della notte appena trascorsa; mentre Maria ascoltava incredula le sue parole, nessuno dei due percepí come in quella casa si stesse consumando in spazi diversi il pianto funebre non di una, ma di tre perdite: il respiro di Nicola, l'innocenza di Andría, e la fiducia di Maria Listru in Bonaria Urrai.

Turbata da quelle rivelazioni prive di senso, Maria abbandonò la casa dei Bastíu senza dare spiegazioni, lasciando nel cortile un Andría singhiozzante, che i parenti compiaciuti credevano distrutto per la morte del fratello.

Capitolo tredicesimo

Nonostante fosse immersa nel rituale collettivo del lutto, la fretta con cui Maria aveva lasciato la casa dei Bastíu non era passata inosservata a Bonaria Urrai, che aveva intuito il motivo di quella sconvenienza solo per metà. Ma la vecchia non si poteva permettere il lusso di agire d'impulso in un giorno come quello, e Nicola Bastíu meritava il suo rispetto fino in fondo alla terra dove l'avrebbero deposto. Per lei non ci sarebbero stati altri momenti che quello per onorare le segrete promesse che gli aveva fatto, invece Maria sarebbe stata a casa anche al suo ritorno. Questo pensò la sarta di Soreni, mentre rimaneva accanto a Giannina e a Salvatore Bastíu come la parente che sempre l'avevano considerata, a cantare il *Requiescat* insieme ai presenti, come se per lei quello fosse un morto come gli altri, diverso solo nel nome.

In effetti il volto di Nicola, disteso nella serenità artificiale di chi non ha piú niente da chiedere, sembrava finalmente placato, ma quell'illusione ottica non bastava ad arrestare il tumulto di incertezze nell'animo di Bonaria Urrai. La vecchia però era troppo abituata al riserbo per palesare qualcosa di diverso da quello che ci si aspettava da lei, e quindi rimase composta accanto alla salma come sempre aveva fatto negli anni, aiutando i genitori del morto nella fatica di ripescare dai ricordi i molti momenti lieti per restituire un Nicola Bastíu sano e ridente, rispettabile per intero nell'anima e nel corpo. Per diverse ore intorno al corpo si susseguirono le voci delle donne e degli uomini, secondo una liturgia che alternava il pianto, la preghiera e la memoria in sequenza. Nessun passaggio poteva essere saltato, perché quel codice era indispensabile alla comunità per ricomporre la frattura tra le presenze e le assenze. Nell'atto di impedire la negazione del singolo dolore, anche il piú controverso dei trapassi si riconciliava con la naturale tragicità delle cose di ogni vita. Per questo, quando il prete se ne era andato dopo aver fatto la sua predica sulla comunione dei santi, le donne e gli uomini di Soreni si riunivano per celebrare insieme la comunione dei peccatori, assolvendo i parenti sopravvissuti dalla colpa di un dolore unico al mondo. Per risolvere le altre questioni, il tempo ci sarebbe stato.

Ci sono cose che si fanno e cose che non si fanno, e Maria la differenza la conosceva benissimo. Non era questione di giusto o sbagliato, perché nel mondo in cui era cresciuta quelle categorie non trovavano posto. A Soreni la parola «giustizia» aveva lo stesso spazio di senso delle peggiori maledizioni, e veniva pronunciata solo quando c'erano da evocare cieche persecuzioni contro qualcuno. Per la gente di Soreni la giustizia ti avrebbe forse potuto rincorrere, e se ti avesse preso ti avrebbe scorticato come un majale o crocifisso come un cristo, ti avrebbe fottuto per gioco come fanno gli uomini quando si comportano come le bestie, ti avrebbe stanato ovunque ti fossi nascosto e di sicuro non avrebbe dimenticato mai il tuo nome, né quello di chi era uscito da te; ma tutto questo non c'entrava nulla con il fatto che ci sono cose che si fanno e cose che non si fanno.

Mentre tagliava la cipolla a fettine sottili, Maria ragionava ossessivamente su quella differenza, sistemando gli ingredienti della cena con la stessa ipnotica lentezza con cui cercava di porre ordine nei pensieri. Le parole di Andría erano state folli come la luce nel suo sguardo mentre le diceva, e per Maria non avevano alcun senso; eppure accostate a determinati ricordi un senso cominciavano ad averlo. Mentre spartiva il pomodoro in tocchi, rivedeva la figura della vecchia sarta raggomitolata vicino al camino quella mattina stessa, perfettamente vestita e pettinata come se fosse appena rientrata, o sapesse già che ci sarebbe stato motivo di uscire. Maria aveva smesso da tempo di interrogarsi sulle misteriose uscite notturne dell'anziana madre adottiva, ma ora quella dimenticanza le tornava addosso come un elastico di fionda, e bastava a insinuarle il dubbio che Bonaria Urrai avesse qualcosa di grave da nasconderle. Era la prima volta che accadeva, e Maria non sapeva gestire quel sospetto, tanto era incongruente con la fiducia che la legava alla donna che l'aveva fatta figlia. Non era concepibile che potesse averle mentito, perché ci sono cose che si fanno e cose che non si fanno, pensava mentre lasciava cadere nell'olio sfrigolante il resto delle verdure sminuzzate. Il mestolo di legno nel soffritto agitava gli odori e i ricordi, e ruotandolo lentamente in circolo Maria si lasciò circondare da entrambi, riportando alla mente un pomeriggio di molti anni prima, appena qualche mese dopo essere divenuta fill'e anima di Tzia Bonaria.

Non le era ancora passato quel vizio, quello di rubare piccole cose di cui non aveva bisogno, ma che desiderava. Era venuto via con lei da casa di Anna Teresa Listru, e per qualche tempo aveva continuato a farle compagnia, eluden-

do le richieste di permesso ogni volta che poteva farne a meno. A volte era un frutto, o un pezzo di pane, altre un gio-
cattolo, oppure uno scampolo di stoffa colorata lasciato da
parte per una rifinitura: se credeva che nessuno la guardasse, Maria lo prendeva e lo nascondeva, incapace di separa-
re il desiderio dal sotterfugio. Bonaria Urrai se n'era accorta presto, anche perché i piccoli ammanchi si ripetevano con
una certa frequenza. Ma quel pomeriggio fu l'ultima volta
che accadde, e Maria se lo ricordava molto bene.

Era una fine di ottobre con preparativi di dolci, e sul
tavolo della cucina erano stati lasciati gli ingredienti per i
pabassinos dei morti; c'erano la scorza d'arancia, i semi
di finocchio, le lamelle di mandorle e un barattolo di saba di
fichi d'india scura e viscosa come caramello, con un sapore dolce pieno di sentori fioriti che avrebbe legato l'impasto come una malta aromatica. Ciascun ingrediente stava
nel suo cartoccio, tranne l'uvetta passa che era stata messa a rinvenire in una ciotola con acqua di fiori d'arancio.
Bonaria si era accorta all'ultimo momento che le mancava
la semola, indispensabile per infornare i dolci senza che si
attaccassero. Prima di uscire non le aveva vietato di toccare le cose sul tavolo, ma Maria non aveva dubitato nemmeno per un momento di stare infrangendo un comando,
quando aveva preso due manciate di lamelle di mandorle
ed era corsa in camera a nasconderle in un cassetto. Quando Bonaria era tornata con la semola, al mucchio delle
mandorle ne mancava metà, e seduta per terra Maria giocava con sul viso l'espressione serena degli innocenti.
Bonaria le si avvicinò, e la prima parola non era un'accusa.

– Mancano delle mandorle.

Maria sollevò il viso verso l'alto, guardando la Tzia con
aria interrogativa. Poteva essere già una risposta, ma Bonaria non aveva intenzione di accontentarsi.

– Le hai toccate tu?

– No.

Lo schiaffo arrivò preciso e violento, prendendo Maria sulla guancia sinistra e lasciandole il segno esangue dell'impatto. Incredula, le pupille dilatate dalla sorpresa, la bambina guardò la vecchia con la bocca aperta, dimenticandosi di piangere.

– Alzati, – disse Bonaria con voce grave.

Maria si alzò lentamente, puntando il viso al pavimento per nascondere la fortissima vergogna che adesso fioriva sul volto insieme al rossore del ceffone incassato. Bonaria le afferrò un braccio, trascinandola senza molta grazia verso la sua camera. La porta le si chiuse alle spalle a doppia mandata, e una volta assicuratasi che fosse chiusa bene, la vecchia se ne andò a preparare i dolci senza dire piú neanche una parola. Maria rimase chiusa in camera fino all'ora della cena, e fece diverse cose per dimenticarsi di quel che aveva fatto: dapprima pianse in silenzio, poi cercò di distrarsi con i giocattoli per fingere che non stesse accadendo nulla, infine si stese sul letto, sfinita dalla frustrazione, e dormí persino. Quando la porta si riaprí però era sveglia, e si mise a sedere sul letto come in attesa. Bonaria le venne vicino, prese dal muro la sedia che vi stava appoggiata e si sedette esattamente di fronte a lei.

– Hai capito perché ti ho picchiato?

Maria si aspettava quella domanda e annuí, mentre nuovamente il viso le si faceva rosso dall'umiliazione.

– Perché?

– Perché ho rubato le mandorle.

– No.

Il diniego categorico di Bonaria la sorprese, sventando la sua personale interpretazione dei fatti del pomerig-

gio. Non parlò piú, fissando la vecchia con occhi mera-
vigliati.

– Ti ho picchiato perché mi hai detto una bugia. Le
mandorle si ricomprano, ma alla bugia non c'è rimedio.
Ogni volta che apri bocca per parlare, ricordati che è con
la parola che Dio ha creato il mondo.

A sei anni non si è molto ferrati in teologia, e infatti
Maria non trovò una buona replica davanti al senso di
quella frase, troppo grande per lei da cogliere per intero.
Ma la parte che comprese fu piú che sufficiente a giudicare sé stessa, e mentre con le labbra strette provava ad annuire, Bonaria si sporse ad abbracciarla senza stringerla,
come un bozzolo di seta con un baco dentro. Al termine
di quella riconciliazione rimasta unica nel suo genere tra
loro, Maria uscí dalla stanza mano nella mano con la vecchia, trovando la casa invasa dal profumo intenso dei dolci ormai cotti, messi ad asciugare sulle graticelle come mat-
tonelle scure. Per anni avrebbe associato il profumo dei
pabassinos appena fatti a quel ricordo, e senza renderse-
ne conto smise di sentire il desiderio di rubare cose già palesemente sue, perché una volta realizzata quell'evidenza,
non restava nessuno a cui mentire.

Maria Listru sorrise di sé stessa in quel ricordo, e aggiunse dell'acqua alla pentola dove il pomodoro si era ormai sciolto in una salsa densa e aromatica. Qualunque cosa
fosse accaduta quella notte, qualunque cosa Andría pen-
sasse di aver visto, alla fine di quel sugo Maria si era convinta che la donna che le aveva insegnato a lavarsi le mani prima di parlare non poteva averla ingannata in alcun
modo, tanto meno in quello. Ci sono cose che si fanno e

cose che non si fanno, pensò; e le cose che si fanno, si fanno cosí, concluse mentre assaggiava la salsa per vedere se andava aggiustata di sale.

Maria si sbagliava, ma non seppe di quanto prima che arrivasse sera, quando Bonaria rientrò a casa al termine di una delle giornate piú difficili della sua vita. Non l'aveva attesa per mangiare, perché con le nascite e le morti si sa quando si esce e mai quando si torna, ma la pentola dell'acqua era fredda in attesa sul fornello, e il sugo non aveva perso ancora la freschezza del primo fuoco. Maria leggeva, come spesso faceva la sera dopo cena, e Bonaria era troppo provata per accorgersi subito che qualcosa nella sua postura non era naturale.

– Come mai te ne sei andata? Hai litigato con Andría?

Quando era certa di conoscere già la risposta che cercava, a volte partiva da una domanda diretta.

– Sí.

Maria la guardò con placida apparenza, misurandole con gli occhi l'inclinazione stanca delle spalle, il viso segnato e la gonna nera scomposta dal lungo star seduta. Le parve vecchia nel senso comune che le persone danno alla parola, vicina al suo termine come le promesse mantenute.

– Ti pareva giorno, con il fratello morto in casa? Invece di consolarlo…

– L'ho fatto.

– Non mi è sembrato. Te ne sei andata.

Se solo non avesse mostrato tanta insistenza. Se solo non l'avesse incalzata per dare una spiegazione a ogni costo, forse Maria non avrebbe smesso di pensare a quello come a un buon momento per tacere. La mancanza di rispetto di cui Bonaria la stava accusando la spinse a replicare a tono, portando il discorso in acque piú infide.

– Se restavo era peggio. Diceva cose che non si potevano stare a sentire.

– I parenti dei morti dicono sempre le stesse cose. Cosa voleva, morire anche lui? Si sentiva in colpa per la morte di Nicola?

Maria chiuse il libro senza curarsi di tenere il segno.
Quando parlò, lo fece con deliberata inespressività.

– No, non si sentiva in colpa. Dava la colpa a voi, invece.

Bonaria era già immobile, e la sua espressione non cambiò in nulla.

– A me? E perché mai?

– Dice che vi ha visto stanotte entrargli in camera e
soffocarlo con un cuscino.

Dirlo cosí, se non si fosse trattato di Nicola, sarebbe
persino suonato divertente, e Maria trasformando l'accusa in una frase senza imperativi ne vide tutta l'infondatez-
za logica. La ricostruzione non sembrava aver alcun senso. Eppure Bonaria non rise.

– Ti ha detto questo?

– Sí, ha detto proprio cosí, ma poi ha vomitato, e ha
detto che se l'era inventato.

Bonaria Urrai si sedette vicino al camino, aggiustando-
si con cura le pieghe della gonna intorno al corpo, come i
petali di un fiore nero. Il discorso era finito, eppure Maria sentí il bisogno di aggiungere:

– Era fuori di sé completamente, non ragionava...

La vecchia volse il viso al camino, nascondendo l'e-
spressione degli occhi in un moto di difesa cosí inusuale in
lei che Maria avvertí dentro di sé l'ombra lunga del sospetto, senza sapere bene di cosa. La domanda le uscí dalle labbra a mezza voce.

– Dove siete stata stanotte?

Il silenzio si prese la risposta, e Bonaria non ritenne di doverlo infrangere. Rimase con gli occhi al camino, fissi sulla fuliggine dei tronchi consumati da un inverno piú freddo del consueto. Per Maria fu come un discorso intero. Con un moto brusco si alzò e posò il libro sul tavolo apparecchiato per una persona sola, avvicinandosi alla vecchia, rintanata nella stessa posizione in cui l'aveva sorpresa quel mattino.

– Siete uscita, lo so. Dove siete stata?

Bonaria sollevò il viso dall'orizzonte del camino, sostenendo il suo sguardo senza replicare. In quegli occhi vacui Maria scorse l'ombra di quel che nemmeno sapeva di dover temere, e barcollò.

– Non è possibile.

– Maria...

– Lo avete fatto... Siete davvero andata da Nicola stanotte... – quelle della ragazza non erano piú nemmeno domande.

– Me lo ha chiesto lui.

La risposta sembrò nulla davanti all'espressione sconvolta di Maria.

– Non è possibile...

Con un sospiro Bonaria si alzò. Aveva sempre saputo che quel momento sarebbe venuto, ma non era certo cosí che lo aveva immaginato.

– Che cosa non è possibile? Che me lo abbia chiesto, o che io lo abbia fatto? Hai occhi per vedere e non sei nata stupida, Maria. Conoscevi Nicola e conosci anche me.

A quelle parole Maria scosse violentemente il capo.

– No, io non vi conosco. La persona che conosco non entra di notte nelle case a soffocare gli storpi con i cuscini...

La brutalità della descrizione strideva con il sussurro

della ragazza, tenue come una fiammella. Man mano che
il sospetto prendeva corpo le si moltiplicavano sulle labbra le implicanze oscene della verità.

– Giannina lo sa? Salvatore Bastíu lo sa?

– Non è importante –. Bonaria sapeva di mentire, eppure lo fece ugualmente.

– Che la madre e il padre non sappiano che il figlio è
morto in mano a voi non è importante?

– Lo ha voluto lui cosí, e io ho promesso.

– E perché mai Nicola avrebbe dovuto chiederla proprio a voi, una cosa simile?

La vecchia Urrai tacque, guardando Maria dritta in
faccia. Le parole per rispondere a quella domanda non
esistevano, e se esistevano lei non le conosceva. Ma nella mente di Maria la verità si fece chiara improvvisamente, e nell'istante stesso in cui la realizzava, la figlia di Anna Teresa e Sisinnio Listru seppe con certezza chi era la
donna che le stava davanti. Aprí la bocca per ritualizza-
re lo sbalordimento in un'imprecazione, ma non le venne altro che un ansito da partoriente, il singhiozzo senza
pianto di una bestia strozzata. Portò la mano alla bocca,
ma gli occhi non si mossero dal volto pallidissimo dell'accabadora.

– Tutte le volte che tornavate di notte… – mormorò.

– Te ne avrei parlato a suo tempo, Maria –. Bonaria
non provò nemmeno a stemperare il turbamento della
figlia.

– Quando? Quando me lo avreste detto? Mi avreste
portata con voi? Mi avreste chiesto di reggervi lo scialle
mentre facevate? – la rabbia montava sulle labbra di Maria come schiuma amara. – Quando lo avreste fatto?

– Certo non adesso… quando fossi stata pronta…

– Pronta! – la parola risuonò nella stanza come un oggetto scagliato per terra. – Per accettare l'idea che voi ammazzate le persone io non sarei mai stata pronta!

Non appena divenne evidente che a quel fiume non sarebbero bastati argini, Bonaria abbandonò la speranza di trovare una via piú lieve per arrivare fino in fondo.

– Non metterti a dare nomi alle cose che non conosci, Maria Listru. Farai tante scelte nella vita che non ti piacerà fare, e le farai anche tu perché vanno fatte, come tutti.

– E questa quindi sarebbe una di quelle, – il tono di scherno era feroce, e Maria non faceva niente per dissimularlo. – E come la fate, questa cosa necessaria? Spiegatemelo, tanto me lo avreste detto comunque, no? – Prese a camminare intorno al tavolo con un passo sincopato che portava solo in tondo. – Entrate sempre di nascosto come con Nicola? No, lasciatemi pensare… vi chiama la famiglia, come quella notte che venne Santino Littorra! – Piú chiaro si faceva il ricordo, piú nitida sembrava divenire la rabbia della ragazza. – E poi com'è che lo fate, Tzia, ditemelo!

Bonaria Urrai aveva visto abbastanza mondo da sapere che scendere sul piano di quella provocazione non avrebbe portato a nulla di buono.

– Vuoi giudicare del come senza capire il perché? Tu hai sempre fretta di emettere sentenze, Maria.

– Non sono io che ho fretta, anzi. Se le cose devono accadere, al momento giusto accadono da sole.

La vecchia si tolse lo scialle bruscamente, lasciandolo cadere senza grazia sulla sedia. Gli occhi scuri fissarono Maria con una certa severa impazienza. Qualunque cosa fosse accaduta con Nicola, per il resto Bonaria Urrai sapeva ancora dare ragione del suo.

– Accadono da sole… – mormorò, sorridendo senza allegria. – Sei nata tu forse da sola, Maria? Sei uscita con le tue forze dal ventre di tua madre? O non sei nata con l'aiuto di qualcuno, come tutti i vivi?

– Io ho sempre... – Maria accennò a replicare, ma Bonaria la fermò con un gesto imperioso della mano.

– Zitta, non sai cosa dici. Ti sei tagliata da sola il cordone? Non ti hanno forse lavata e allattata? Non sei nata e cresciuta due volte per grazia di altri, o sei cosí brava che hai fatto tutto da sola?

Richiamata alla sua dipendenza con quello che le parve un colpo basso assestato con cattiveria, Maria rinunciò a replicare, mentre la voce di Bonaria si abbassava fino a diventare una litania priva di qualunque enfasi.

– Altri hanno deciso per te allora, e altri decideranno quando servirà di farlo. Non c'è nessun vivo che arrivi al suo giorno senza aver avuto padri e madri a ogni angolo di strada, Maria, e tu dovresti saperlo piú di tutti.

L'anziana sarta parlava con la sincerità con cui si fanno le confidenze agli sconosciuti sul treno, sapendo che non si dovrà sopportare mai piú il peso dei loro occhi.

– Non mi si è mai aperto il ventre, – proseguí, – e Dio sa se lo avrei voluto, ma ho imparato da sola che ai figli bisogna dare lo schiaffo e la carezza, e il seno, e il vino della festa, e tutto quello che serve, quando gli serve. Anche io avevo la mia parte da fare, e l'ho fatta.

– E quale parte era?

– L'ultima. Io sono stata l'ultima madre che alcuni hanno visto.

Maria rimase in silenzio per qualche minuto, mentre la rabbia moriva nel senso per lei inaccettabile di quelle parole. Quando parlò, Bonaria seppe che non c'erano piú spazi per capire.

– Per me siete stata la prima, e se mi chiedeste di morire, io non sarei capace di uccidervi solo perché è quello che volete.

Bonaria Urrai la fissò, e Maria vide che la vecchia era stanca.

– Non dire mai: di quest'acqua io non ne bevo. Potresti trovarti nella tinozza senza manco sapere come ci sei entrata.

Bonaria raccolse lo scialle che aveva lasciato cadere sulla sedia e cominciò a piegarlo con gesti lenti, consapevole che quella era l'unica cosa che poteva mettere in ordine.

– Quando verrà il momento, Maria, scoprirai cose di te che non conosci ancora.

– Non verrà quel momento... – Maria non si rese conto di averlo deciso se non nell'istante in cui le sfuggiva dalle labbra. – ... io voglio andare via da voi.

Se la vecchia era sorpresa a quelle parole, non fece niente per mostrarlo. Nemmeno la guardò.

– Capisco.

– Subito. Domani stesso.

– Va bene, parlerò con tua madre.

– No... – la ragazza sembrò esitare. – Non voglio tornare da mia madre. Troverò io una soluzione.

– Come credi –. Non era quello che voleva dire Bonaria, ma di cose che non voleva in quei giorni ne aveva fatte già.

– Naturalmente, per la riconoscenza che vi devo, io farò il mio dovere... – aggiunse Maria sottovoce.

La vecchia la guardò, poi disse piano:

– Non mi serve niente che tu sia in grado di fare, Maria Listru.

Andarono a letto senza aggiungere altre parole, che altre non ne servivano, e nessuna delle due dormí. L'acqua nella pentola sul fornello spento non era la sola cosa

a essere rimasta fredda quella notte nella vecchia casa di
Taniei Urrai.

Il giorno dopo, di buon mattino, Maestra Luciana aprí
la porta a Maria convinta che venisse a restituirle il libro
che le aveva prestato; invece se la trovò di fronte con una
valigia in mano e nessuna spiegazione buona a motivarla.
Ma una non fa la maestra per trent'anni senza capire quando è il momento di non fare domande, e in capo a una
settimana Maria aveva in mano un biglietto di nave per
Genova e una casa a Torino in via della Rocca, dove una
certa famiglia Gentili attendeva con impazienza la nuova
bambinaia sarda raccomandata direttamente da Luciana
Tellani.

Capitolo quattordicesimo

Un'altra vita. Questo le aveva detto Maestra Luciana. Ti serve un'altra vita, dove nessuno sappia chi sei, di chi o di cosa sei figlia. Maria non le aveva raccontato niente di quello che era accaduto, né di cosa lei e Bonaria si fossero dette, ma era bastato uno sguardo attento dentro gli occhi verdi della torinese perché Maria capisse di essere stata l'unica persona in paese a non sapere chi era davvero Bonaria Urrai. Cercava invano di dominare il vuoto del tradimento subito, che le sembrava sí affine alla morte, ma senza la consolazione di poter vegliare una spoglia cara, e nessuna sepoltura per dare confini di terra al pianto che la soffocava. Aveva vissuto per anni con Bonaria convinta di essere andata a pareggio con le sue due nascite, una sbagliata e però anche una giusta, ma ora i conti le apparivano pieni di errori e cancellature, lasciandola ancora una volta fuori, come un resto avanzato.

Un'altra vita, le ripeteva Luciana Tellani con decisione, come se fosse niente rinascere. Eppure si rivelarono parole adatte, le maestre spesso ne hanno qualcuna da parte per le evenienze come quelle: la possibilità di determinare almeno una delle sue troppe nascite, piú di ogni altra spinta poteva convincere Maria a partire con tanta rapidità.

Stare sul mare tra Olbia e Genova, aggrappata alla ringhiera appiccicosa di salsedine del ponte della Tirrenia, la fece sentire forte, adulta, quasi libera, senza quell'ombra

negli occhi che spesso conservava per tutta la vita chi emi-
grava forzatamente per mangiare, gente per nulla ansiosa
di battesimi in cui fosse possibile scegliersi il nome da soli. Ricominciare altrove, tagliarsi il cordone in un momento preciso dell'esistenza scelto da lei, senza levatrici né debiti apparenti, fece sentire Maria come quel giorno di tanti
anni prima nel cortile di Anna Teresa Listru, quando sotto
la pianta del limone già decideva da sola che cos'era meglio
impastare dentro le torte di fango. Durante quel viaggio
Maria si ingegnò per non dormire mai, nemmeno un'ora. Il
tempo le serví tutto per farsi accabadora dei suoi ricordi,
e trattare gli avvenimenti che l'avevano portata a quella
decisione come persone da far salire o meno sul traghetto
per il continente. Uno per uno li segnò, mentre li ricordava per dimenticarli, e quando arrivò al porto di Genova
scese dalla nave sentendosi piú leggera, convinta di aver
lasciato sull'altra terra tutta la zavorra delle sue ferite.

L'appartamento di Attilio e Marta Gentili, al quinto
piano di un palazzo signorile nel centro storico della città,
aveva i muri dipinti di un bianco cremoso che nulla aveva
da spartire con i colori sgargianti delle case di Soreni. Maria aveva visto muri cosí bianchi solo a scuola e all'ospedale, e fu anche per questo che avvertí subito un senso di sog-
gezione, un disagio sottile rafforzato dalla disinvoltura con
cui le diedero immediatamente del tu. Il soggiorno dove la
signora Gentili la fece accomodare prima di andare a chiamare i figli era un capolavoro d'ampiezza, dominato da un
grande lampadario di vetro fumé le cui parti tondeggian-
ti, lucide e smussate, pendevano dal soffitto come un enor-
me grappolo di caramelle succhiate. Nei pochi minuti in
cui rimase sola, Maria smise di far finta di non essere impressionata dai soffitti elevati e dai finestroni liberty che

coprivano un'intera parete; persino alle quattro del pomeriggio, quando il sole ci era già passato sopra da un pezzo, si poteva intuire l'esplosione di luce che doveva detonare là dentro a ogni mattina di sereno. Nel tentativo di risultare disinvolta, si sedette sul bordo del divano color crema, rimanendo però irrigidita dall'ostentazione di tanti spazi non giustificati, che di certo il piccolo camino di marmo vicino alla porta non bastava a riscaldare; ma fu contenta di potersi alzare in piedi quando i figli dei Gentili vennero fatti entrare, per niente consapevole che la sua figura sottile, con ancora addosso il cappotto verde bottiglia, appariva ai bambini come uno strappo sulla tappezzeria. Con una certa solennità Piergiorgio e Anna Gloria precedevano la madre tenendosi per mano, vestiti speculari a creare l'illusione di una somiglianza gemellare. Maria avanzò un tentativo di sorriso, ma Piergiorgio – che sapeva già riconoscere la differenza sottile tra il fare e il fare finta – si limitò a fissarla con l'orgoglio impacciato dei suoi quindici anni, senza accennare nemmeno per un istante a lasciare la mano della sorellina.

– Ragazzi, lei è Maria…

Il gesto ampio della mano con cui la signora la indicò ai bambini fece sentire Maria una proprietà acquisita come parte dell'arredo, il che segretamente la irritò, ma quando vide che l'atteggiamento di Marta Gentili si estendeva anche ai figli, comprese che esprimeva solo la sua personale visione del mondo.

– …e questi sono i miei bambini, cara. Non farti ingannare dall'aria angelica, sono dei veri terremoti. Specialmente Piergiorgio!

Maria sorrise accondiscendente, anche se non le sembrava proprio che ci fosse qualcosa di angelico in quei due. Per essere belli erano belli. Entrambi sfoggiavano quell'indecisa tonalità di biondo che tende a scurirsi con l'età, ma mentre Anna Gloria aveva preso dalla madre la pelle chiara come quella di una bambola di biscuit, Piergiorgio possedeva un'insolita carnagione dorata da mozzo imbarcato, la cui suggestione di tepore durava soltanto fino all'orlo azzurro degli occhi freddi. Ostentavano entrambi l'alterigia dei nati ricchi, sembrava quasi che tra di loro da parecchio tempo non ci fosse piú spazio per le fragili debolezze dell'infanzia. A un occhio attento però le piccole nocche sbiancate dalla stretta delle loro mani avrebbero fatto intuire che le cose non stavano proprio come sembravano. Maria, che disattenta non era, mentre osservava i bambini capí istintivamente che quel lavoro non sarebbe stato facile come glielo avevano presentato, ma poteva rivelarsi di gran lunga piú interessante.

Come prevedeva l'accordo in base al quale era stata assunta, Maria passava con i ragazzi tutto il tempo in cui non si trovavano a scuola, seguendoli nei giochi e nei compiti a prescindere dal fatto che i genitori fossero in casa o meno. Le assegnarono la stanza gialla, un piccolo ambiente collocato tra quelli piú ampi riservati ai ragazzi, e il fatto che comunicasse con entrambe le loro camere le fece intuire che probabilmente era stata pensata come una sorta di ampia cabina armadio dove in futuro, quando non ci sarebbe piú stata la necessità di una bambinaia, i due fratelli avrebbero potuto condividere i vestiti.

La prima cosa con cui Maria dovette fare i conti fu che quei ragazzini non uscivano mai di casa per giocare con altri bambini. Era vero che l'appartamento dei Gentili non aveva un cortile, ma la strada in cui vivevano era molto vicina al grande parco del Valentino e ai viali alberati lungo il Po, un luogo avventuroso dove la quantità di tentazio-

ni potenzialmente mortali era tale da far impazzire di gioia
qualunque bambino. Marta Gentili però su questo fu tas-
sativa: i ragazzi uscivano solo con lei e con il padre. Andare a giocare fuori senza i genitori non era nemmeno da
prendere in considerazione, e Maria si rese conto molto
presto che parte del suo compito consisteva proprio nel ga-
rantire che questo non si verificasse mai. In realtà non era
un ordine difficile da rispettare, perché Piergiorgio non
manifestava il desiderio di uscire, e Anna Gloria, benché
piú irrequieta, sembrava per il momento appagata dai molti e bei giochi di cui entrambi disponevano. Maria invece,
nelle poche ore libere che le rimanevano, usciva sola per
le strade ogni volta che poteva, cauta ma curiosa della grande città. La signora Gentili le aveva raccontato la strana
storia delle vie squadrate di Torino, che pareva fossero state disegnate in anticipo rispetto ai luoghi in cui avrebbero dovuto condurre; l'idea che i torinesi avessero prima di
tutto deciso il viaggio, e solo in un secondo momento si
fossero dati da fare per costruire come meta le case, le piaz-
ze e i palazzi, le sembrava talmente illogica che nelle prime lettere alle sorelle Maria continuava a raccontarla come
se fosse una divertente novità. Quell'ordine millimetrico
la urtava nel buon senso, convinta che per le strade il modo giusto di nascere potesse essere solo quello di Soreni,
le cui vie erano emerse dalle case stesse come scarti sarto-
riali, ritagli, scampoli sbilenchi, ricavate una per una dagli spazi casualmente sopravvissuti al sorgere irregolare
delle abitazioni, che si tenevano in piedi l'una all'altra come vecchi ubriachi dopo la festa del patrono. Marta Gentili le aveva spiegato che il ripetitivo schema viario di Torino nasceva da esigenze di sicurezza, perché una città re-
gia non doveva offrire ai ribelli e ai nemici alcun anfratto
per nascondersi, ma questo non fece che rafforzare in Ma-

ria l'idea che tutte le cose in apparenza troppo lineari non fossero che un'ammissione di debolezza: nessuno si sarebbe preso la briga di disegnare strade cosí dritte, se non avesse avuto molta paura.

Comunque le piaceva camminare senza meta lungo i portici eleganti, guardando le vetrine con i dolciumi ricoperti di cioccolato, o i vestiti industriali messi addosso ai manichini con calcolata solennità. Si fermava davanti ai negozi di abbigliamento e li studiava con l'occhio critico della sarta, cercando l'orlo malfatto o il risvolto poco accurato, e sorridendo con soddisfazione quando oltre il vetro indovinava il difetto, come fosse una rivincita personale. In quei momenti le capitava di pensare a Bonaria Urrai, ma per il resto del tempo ogni sforzo era orientato alla delicata operazione di rimozione cominciata sulla nave, e quelle passeggiate ne erano una parte fondamentale. L'unica cosa con cui non riusciva a stabilire alcuna familiarità era il freddo folle di Torino, che non era una semplice temperatura bassa – di quelle ne aveva patite già – ma un'aria tale di gelo che per resisterle era necessario centellinarne persino l'entrata nei polmoni. Il freddo rischiò seriamente di compromettere il piacere delle sue passeggiate, perché dopo pochi minuti vinceva lo spessore del suo cappotto di panno, giungendo ad accoltellarla fin nelle ossa, nonostante il ritmo sostenuto della camminata.

Le prime volte Maria tornava a casa con i muscoli rigidi e lo stomaco contratto, e le ci voleva almeno un'ora per far passare il mal di testa che le stringeva la fronte come un laccio. Benché incapace di comprendere come i torinesi potessero sopravvivere a quel rigore, l'idea di rinunciare a uscire le era odiosa come una resa senza combattimento. La terza volta che tornò a casa intirizzita prese la decisione di attrezzarsi: dopo aver chiesto a Marta Gentili il permesso di farlo, si mise a recuperare dal cesto dei giornali in soggiorno i quotidiani che il padrone di casa aveva già letto, e poi di nascosto s'infilava in camera sua per appuntarsi i fogli di carta all'altezza del petto, della schiena e del ventre, prima di metterci sopra il cappotto verde e uscire per strada. In quel frusciare soffocato di carta inchiostrata le sembrava che il freddo facesse piú fatica a insinuarsi, e quel piccolo segreto l'accompagnò per tutto l'inverno con la complicità fortunata della solitudine: se avesse avuto un'amica con cui condividere quelle passeggiate, sarebbe stato complicato spiegarle, magari sedute dentro la saletta di un bar, perché preferiva bere la cioccolata bollente con il cappotto sempre incollato addosso. Ma amiche Maria ebbe attenta cura di non farsene. Attilio Gentili in compenso rimase sempre convinto che la bambinaia dei suoi figli fosse un'appassionata lettrice dei fatti del giorno, e la cosa non mancava di dargli un certo compiacimento.

Occuparsi di Anna Gloria non fu difficile come aveva temuto all'inizio, forse perché, intuendo l'indole diffidente che era stata anche sua, Maria non fece mai l'errore di cercare di conquistarsela con le lusinghe, a cui la bambina doveva essere piú che abituata; la ritrosia istintiva cedette alla curiosità e alla passione che la piccola, annoiata dai balocchi con cui veniva coperta, rivelò per gli scioglilingua e i giochi di parole in cui Maria era maestra. Insieme riempivano il salotto di risate e buffe pronunce, mentre Maria con il pugno chiuso sollevava le dita della mano della bambina una per una, raccontando in rima la sua storia preferita:

– Custu est su procu, custu dd'at mottu, custu dd'at cottu, custu si dd'at pappau et custu... – in quel punto le agitava forsennatamente il mignolino, facendola ridere a crepapelle, – ...mischineddu! No ndi nd'est abarrau!

– Non capisco niente! – protestava Anna Gloria quando si riprendeva dall'ilarità che il suono straniero delle parole le suscitava.

– Non capisci perché non hai mai visto che fine fa un majaletto in una famiglia di quattro figli.

– E che fine fa? – la bambina porgeva il pugno, bramosa di ricominciare il rituale.

Maria si avvicinava di nuovo con aria complice e le prendeva la mano, schiudendo le dita in ordine a cominciare dal piccolo pollice.

– Questo è il porco, questo l'ha morto, questo l'ha cotto, questo l'ha mangiato, e a questo... – il mignolino veniva scosso come un campanello, – ...poverino! Non gliene è restato!

La ragazza gliene insegnò molti altri, sia in italiano che in sardo, e la bambina li recitava spesso all'improvviso con un'abilità tale da sbalordire i genitori, che trovavano miracoloso quel semplice barlume di disciplina. Grazie a quell'espediente, in capo a tre settimane di scioglilingua lei e Anna Gloria potevano considerarsi, se non proprio amiche, quantomeno complici, il che permise a Maria di esercitare almeno un po' di controllo sul carattere ribelle e viziato della bambina.

Piergiorgio Gentili invece era tutto un altro paio di maniche. Sin dal principio il ragazzo non diede appigli di alcun tipo per stabilire confidenze, e nonostante non fosse mai meno che cortese, ogni suo gesto o parola le sembrava mirato con precisione a ribadire una distanza ostile. Lui osservava con malcelato fastidio gli spazi di familiarità che la sorellina andava concedendo alla ragazza sarda, e quando le due si divertivano insieme, sedeva a un lato della

stanza osservandole guardingo, a debita distanza dal potenziale contagio di quel nuovo legame. Dotato di una naturale eleganza e molto alto per i suoi quindici anni, Piergiorgio non aveva nulla del comico impaccio adolescenziale che
Maria aveva conosciuto in Andría Bastíu; nonostante i segnali evidenti lanciati da una virilità in divenire che contendeva furiosamente in lui gli spazi all'infanzia, nello
sguardo cupo di quel ragazzino c'era qualcosa di già concluso che la sconcertava, e la spingeva alla cautela.

Il giorno in cui Maria capí cosa si nascondeva dietro a
quel comportamento, era autunno a Torino, Piergiorgio
aveva compiuto sedici anni, sua sorella undici, e lei lavorava in casa Gentili da un anno e dieci mesi, durante i quali aveva sempre mentito alle sue sorelle, scrivendo loro che
era felice, che tutti la trattavano come una figlia e che non
voleva tornare giú. Di quando in quando Regina le infilava di traverso qualche notizia di Bonaria, che pareva soffrire degli acciacchi naturali dell'età, ma Maria saltava in
maniera sistematica i passaggi che si riferivano alla vecchia sarta.

– Perché non andiamo al Valentino? È una bella giornata.

Con quell'uscita fintamente naturale, Anna Gloria infranse la concentrazione necessaria alla versione di latino
di suo fratello, mentre Maria sollevava stupita la testa dalla passamaneria che stava applicando sull'orlo di una gonna. Attilio e Marta Gentili erano andati nelle Langhe dai
Remotti come facevano spesso, e non sarebbero tornati
prima dell'indomani.

– No –. Il tono della voce di Piergiorgio non prometteva strascico di spiegazioni.

– Perché no? Non usciamo mai, siamo sempre in casa,
oppure a scuola, e ci andiamo pure con la macchina. Non

facciamo mai un passo, e io mi annoio a morte... – Anna Gloria si rivolse a Maria, cercando speranzosamente una spalla. – Che ne dici?

Piergiorgio fissò Maria per un attimo, come a diffidarla dal rispondere, poi disse:

– Da quando è Maria che comanda?

– E chi comanda allora, tu? – lo sfidò la sorella, caparbia.

– Comandano mamma e papà, e sai benissimo che non vogliono.

– Non volevano quando eravamo piccoli, ma adesso siamo grandi. E poi siamo con Maria...

Anna Gloria non sembrava disposta ad arrendersi, da giorni doveva aver progettato quel piano, e Piergiorgio in qualche modo dovette intuirlo, perché si alzò in piedi e coprí in tre falcate la distanza che lo separava dalla sorella.

– Tu *sei* ancora piccola, e io non ho voglia di uscire. Quindi stiamo in casa. Mi sembra tutto chiaro, no?

La ragazzina tacque, sostenendo il peso di quegli occhi identici ai suoi senza farsi intimidire. L'impotenza la rendeva furente, ma non aprí bocca.

– Bene, – concluse lui soddisfatto di quel silenzio.

Dopo quella che evidentemente era da considerarsi la fine del discorso, Piergiorgio tornò a sedersi alla sua scrivania, senza che niente nei suoi movimenti o nello sguardo avesse incluso Maria nemmeno per errore. Anna Gloria si alzò di scatto dal libro di geografia, lasciandolo cadere in terra con voluta violenza. Dopo aver indirizzato a Maria uno sguardo risentito, a passi rapidi abbandonò la stanza, sbattendosi la porta alle spalle con un suono secco che fece tremare l'orologio di legno colorato appeso alla tappezzeria. Come sordo, Piergiorgio non accennò neanche a sollevare gli occhi dal quaderno di latino, e non passarono dieci minuti che udirono entrambi scorrere l'acqua della doccia. Maria non si scompose; era abituata alle esplosioni di rabbia tra i due, rapide a venire come a passare, ma piú frequenti man mano che Anna Gloria cresceva e il suo carattere ribelle tollerava in misura sempre minore l'autorità prima indiscussa del fratello. Piergiorgio ostentava indifferenza dopo quei litigi, ma Maria ne sapeva ormai abbastanza per capire che la distanza dalla sorella lo trovava in realtà senza difese. Rispettava quel segreto sapere, ben consapevole che il gioco reciproco di finzioni era la cosa piú simile a una complicità che sarebbe mai potuta sorgere tra loro. Ma dopo venti minuti l'acqua della doccia non aveva smesso di scendere, e Piergiorgio finalmente sollevò la testa dai libri, guardando Maria con aria interrogativa.

– Quanto dura questa doccia.

La ragazza strappò il filo annodato del lavoro, posando la gonna sul letto per alzarsi e andare a vedere. La porta del bagno non era chiusa a chiave, e quando Maria vi entrò dopo aver inutilmente bussato, l'acqua cadeva copiosa sul piatto della doccia vuota. Le bastarono pochi secondi per capire che Anna Gloria nella cabina non era nemmeno mai entrata.

– Non c'è! – esclamò a voce alta.

Quando tornò nella stanza con passo allarmato, Piergiorgio Gentili si stava già infilando convulsamente il soprabito. Aveva preso le chiavi di casa dallo stipetto, ed era pronto a uscire senza curarsi affatto di essere seguito.

Capitolo quindicesimo

Fecero le scale a rotta di collo, lui agile come un gatto, lei rapida a seguire, con il cappotto svolazzante lasciato aperto per la fretta di non restare indietro. Anna Gloria in strada non c'era, e a Piergiorgio bastò un istante per verificarlo, prima di rimettersi a correre come un matto verso il Valentino. Maria gli stava dietro con il cuore che batteva all'impazzata, spaventata piú dall'ansia di lui che dall'uscita furtiva di Anna Gloria. Da molti segnali aveva infatti già intuito che un atto di ribellione da parte della ragazzina sarebbe stata solo questione di tempo; quello che non aveva previsto era una reazione cosí scomposta nel fratello. Gli correva forte appresso non tanto nella speranza di trovarla, cosa di cui era certa, ma in quella di giungere a lei piú o meno nello stesso momento in cui, fuori di sé, lo avrebbe fatto Piergiorgio.

Entrarono nel parco e vi rimasero tutto il tempo necessario a percorrerlo in varie direzioni, ma di Anna Gloria non c'era traccia. Correndo e fermandosi, frugando con gli occhi i camminamenti secondari e con i piedi rapidi quello centrale, dopo due ore Maria e Piergiorgio si ritrovarono fianco a fianco ansimanti, lui con una luce di puro terrore nello sguardo, lei molto meno ottimista di prima sull'esito della loro ricerca. Rompendo il silenzio imposto dal fiatone e dal riserbo, senza accordarsi cominciarono a chiamarla.

– Anna Gloria! – urlava Maria squillante.

– Anna! – le faceva eco Piergiorgio con voce strozzata.

In molti si voltavano a guardare quella giovane donna e quel ragazzo con allarmata curiosità, ma nessuno rispose al loro richiamo.

Erano ormai le sei del pomeriggio e il sole stava calando quando uscirono dal parco sudati, guardandosi sconvolti.

– È colpa tua, – le sibilò Piergiorgio con odio.

Maria sussultò, ma non rispose all'ingiustizia dell'accusa, perché sapeva benissimo che era vera: qualunque cosa fosse accaduta sarebbe stata comunque colpa sua. Non abbassò però lo sguardo, conscia che in quel momento la priorità non era quella di trovare un colpevole.

– Andiamo sul fiume, – suggerí cercando di controllare l'angoscia.

Si incamminarono insieme verso casa seguendo con attenzione la linea dell'acqua, senza smettere di gridare il nome di Anna Gloria ma tenendo gli occhi fissi al declino dell'argine, nel terrore di scorgere il segno di una caduta, un oggetto galleggiante, o un corpo inerte sulla riva alberata, da dove saliva una leggera foschia che rendeva piú faticoso il loro scrutare. Non trovarono niente, ma non per questo si sentirono piú sollevati, e tornarono in via della Rocca pieni d'ansia, con la segreta speranza che Anna Gloria li avesse preceduti.

Seduta sugli scalini del palazzo, la ragazzina li aspettava visibilmente nervosa, senza la minima intenzione di mostrarsi rammaricata per quel colpo di testa. Piergiorgio si fermò in mezzo alla strada, e Maria ebbe paura del lampo che gli scorse in fondo agli occhi azzurri. Sua sorella però non dovette vedere niente di simile, perché si alzò in piedi e sbottò:

– Era ora che tornaste, sono fuori da almeno un'ora! Ma come vi è saltato in mente di andarvene cosí?

Entrambi la fissarono in silenzio increduli per qualche istante. Maria stava quasi per replicarle a tono, ma Piergiorgio fu piú veloce, e le sue parole pacate spaventarono Maria piú di quanto non avrebbe fatto un grido.

– Avevamo voglia di fare una passeggiata. Da quando devo renderti conto di quello che faccio.

Senza aspettare risposta, con ostentata noncuranza il ragazzo salí le scale e tirò fuori le chiavi dalla tasca, sbloccando con scioltezza la porta della palazzina. Tenendola aperta, si voltò ad aspettare che entrambe lo seguissero; mentre gli passava accanto, Maria non riuscí a ricordare di avergli mai visto quell'espressione sul viso, pallido per una volta come quello della sorella. Lui ricambiò lo sguardo come un monito, e per quel patto tacito tutti e due si comportarono fino a sera come se in quelle ore non fosse accaduto niente. Anna Gloria dal canto suo si guardò bene dal sollevare l'argomento, ingannata da un silenzio che la convinse di essere riuscita – con il suo atto di forza – ad ammorbidire almeno in parte la resistenza di quel divieto che tanto le pesava.

Naturalmente non era affatto cosí, eppure qualcosa doveva essersi rotto in Piergiorgio, perché Maria durante la notte udí dalla sua camera il suono inconfondibile di un pianto soffocato a stento. Se molte volte Anna Gloria si era infilata in pigiama dentro al letto di Maria per sedare i fantasmi di un incubo, o per quelle confidenze segrete che si possono fare solo col buio, in quasi due anni non era mai successo che la porta che separava la sua camera da quella di Piergiorgio si fosse aperta. Nessuno dei due aveva mai considerato quel varco come una cosa reale: per quanto li riguardava, era una porta disegnata nella tappezzeria. Ma davanti a quel pianto non ci furono considerazioni utili a impedire a Maria di infrangere la barriera invisibile della loro estraneità: la tensione accumulata durante il giorno faceva sí che le regole sembrassero opache e inefficaci, trattenute dai fatti in un limbo di temporanea sospensione.

Quando Piergiorgio si accorse che la porta si era aperta, i singulti cessarono all'improvviso. Dal buio completo della stanza la sua voce si levò rotta, ma dura.

– Cosa vuoi?

– Ti ho sentito.

– E allora? Esci.

– No.

– Ti ho detto di uscire. Non è camera tua, questa.

Maria si fece avanti nell'oscurità senza paura di inciampare: conosceva l'ordine maniacale con cui il ragazzo teneva le sue cose. La luce dell'abat-jour sul comodino venne accesa di colpo, illuminando Piergiorgio vestito sul letto, seduto con le spalle alla testiera e il cuscino stretto tra le ginocchia, segnato dai morsi umidi con cui aveva tentato di nascondere il pianto. Il viso era arrossato come quello di un bambino, ma la mascella rigida e gli occhi furenti con cui la fissava non avevano niente di infantile.

– Parliamo…

– Di cosa?

– Lo sai. Di quello che è successo oggi.

– Non ho niente da dirti. E non è successo niente.

Maria gli riconobbe nello sguardo lo stesso odio feroce che aveva visto quando l'aveva accusata al parco.

– Scusami.

Lui sembrò tentennare davanti a quella resa senza combattimento, ma le mani che ghermivano il cuscino come uno scudo non si rilassarono.

– Di cosa ti stai scusando? – le domandò.

– Non lo so, – mormorò Maria, ed era vero. – Tu di cosa mi accusi?

Piergiorgio esitò; le domande dirette non erano mai state le sue preferite. Maria vide nitidamente la corsa verticale del pomo di Adamo, rivelatoria.

– Non lo so… – le fece eco lui dopo una breve pausa, ma non di meno gli occhi emettevano sentenza.

Maria avanzò nella camera, disarmata e disarmante nel suo pigiama di flanella gialla, ponendo tutte le domande in una volta come se avesse paura che il momento delle risposte non si ripresentasse mai piú. – Allora perché mi tratti sempre come se avessi qualcosa da farmi perdonare? Dove ho sbagliato? Cosa ti ho fatto?

Piergiorgio tacque, guardandola avvicinarsi al letto. Poi mormorò rigido:

– Non hai fatto niente. Cosa c'entri tu, è stata lei.

– Appunto, cosa c'entro…

Repentina, Maria si sedette sul bordo del letto, violando volutamente lo spazio che lui, raccolto in un angolo, presidiava con gli occhi. Non era mai stata prudente Maria, ma neppure avventata come in quel momento, nel quale intuiva una misteriosa irripetibilità che le sembrava incosciente lasciarsi sfuggire. I rischi del coglierla invece non li calcolò neppure. Rimase in silenzio a fissare quegli occhi azzurri che cambiavano espressione, assumendone una vacua e persa, pericolosamente assente; quando la mano di lui si sporse all'interruttore della luce per spegnerla, Maria non fece niente per impedirlo, e il buio improvviso lasciò entrambi senza fiato, come aveva fatto la corsa di quel pomeriggio.

Lei attese per qualche secondo che lui dicesse o facesse qualcosa, poi Piergiorgio cominciò a parlare. Dapprima

la voce scorse in un sussurro, riprendendo un discorso che
sembrava interrotto, ma che in realtà non era mai cominciato. All'inizio Maria non capiva il perché di quel racconto di nascondini e corse infantili, poi le parole del ragazzo si susseguirono come scoppi, illuminando l'oscurità con
rivelazioni intollerabili da ascoltare, quasi quanto lo erano per lui da raccontare. Non era affatto certa che Piergiorgio stesse parlando perché lei lo sentisse; aveva piuttosto l'impressione che avesse spento la luce proprio per
dimenticarsi di avere lei dinanzi, e quell'intuizione le impedí di dire una sola parola.

In quel buio Maria se lo vide apparire davanti ancora
piccolo, con i capelli piú chiari di quanto non fossero ora,
mentre giocava alla conta con gli altri bambini sotto l'occhio distratto della prima bambinaia assunta per occuparsi di lui. Man mano che ricordava, la voce di Piergiorgio
perdeva corpo e si affievoliva, tornando sottile come quella del bimbo che si era perduto tra gli alberi del lungofiume, mentre aspettava con il cuore in gola che i compagni
lo venissero a cercare, per poi scattare come un ratto verso l'albero convenuto gridando forte «Tana! Sono piú veloce io!» Era sempre stato bravo a nascondersi, persino in
casa il padre e la madre lo cercavano per ore quando non
voleva farsi ritrovare. Anche quella volta i compagni tar-
davano a trovarlo, perché era difficile vederlo tra i cespu-
gli della riva, e ancora piú difficile raggiungerlo per le loro
gambe corte. Ma per gli occhi attenti di un adulto che sapeva aspettare, e per le gambe robuste di un adulto che sapeva cercare, quel furbo nascondiglio in riva al fiume era
un posto facile e comodo per giocare alla conta con un
bambino. Piergiorgio non sapeva ancora che i grandi non
giocano alla conta nei nascondigli con i bambini.

Mentre la bambinaia chiacchierava con le altre ragazze pagate per badare ai figli degli altri, mentre i figli degli altri giocavano a nascondersi e a ritrovarsi come potevano e il sole schiacciava gli alberi a terra in ombre mobili e sfuggenti, Piergiorgio Gentili tra le mani di uno sconosciuto si perdeva in un cespuglio, e nessuno lo avrebbe riportato mai piú indietro. Il bambino che molte ore piú tardi trovarono sulla riva era diventato incapace di nascondersi, e di abbracciare chicchessia, e di fidarsi mai piú, e i genitori credettero che fosse colpa della caduta, di quella prevedibile scivolata sulla riva, della testa battuta che forse gli aveva fatto perdere i sensi finché il sole non era calato, o magari della paura di morire che tutti i bambini sperimentano quando si perdono credendo di nascondersi, e nessuno li viene a cercare. Marta Gentili licenziò in tronco la bambinaia, Piergiorgio ne dimenticò in tronco persino il nome, e da quel momento in poi né lui né la sorella poterono piú andare a giocare nel parco, o sul lungofiume, o in qualunque altro luogo. Piergiorgio non disse mai né al padre né alla madre che tutto quello che non sarebbe dovuto accadere era già successo, e per dieci anni non lo disse proprio a nessuno, prima di quella notte, quando lo raccontò a Maria tutto insieme in una volta nel buio della stanza, mentre stava con le spalle contro il letto e la testa dentro un cespuglio sulla riva del fiume, in un ricordo che odorava di melma e di sudore altrui.

Maria non avrebbe saputo dire in quale punto preciso del racconto di Piergiorgio si fosse alzata per stringerlo a sé, o in quale istante preciso dell'orrore narrato si fosse spostata verso di lui senza interromperlo, e lui non avrebbe saputo dire quando aveva lasciato che al buio le lacrime scendessero dagli occhi senza rumore, pudiche. Il giorno li sorprese in un sonno privo di colpe, stretti in un abbraccio dove l'uno si era finalmente ritrovato, e l'altra si era persa.

Da quel momento l'atteggiamento di Piergiorgio verso
Maria cambiò del tutto, divenendo gentile e quasi premu-
roso. Non le rispondeva piú a monosillabi, anzi le rivolge-
va la parola anche quando non era interpellato, l'aiutava a
portare i panni stirati, si offriva di aprirle le porte quando
aveva le buste cariche della spesa, e a tavola le porgeva ogni
cosa prima ancora che lei chiedesse, sotto gli occhi allibiti
dei familiari. Quella galanteria stupí piacevolmente Attilio Gentili, che dietro i primi palesi fuochi dell'adolescen-
za vide i segni promettenti di una maturità precoce. Invece il mutamento incomprensibile di Piergiorgio insospettí
sua madre, e soprattutto indispettí Anna Gloria, che osservando la maniera in cui lui si appassionava a Maria si
scoprí vittima di una gelosia mai sperimentata prima. Appena si rese conto che qualcosa era cambiato, la complicità
che aveva costruito con la ragazza sarda cessò da un giorno all'altro, e piú suo fratello trattava Maria con premura,
piú la ragazzina cominciò a dare segni di insofferenza al-
l'idea di continuare ad averla come bambinaia. Maria dal
canto suo non si curava delle reazioni di Anna Gloria, e
sembrava invece aver sviluppato nei confronti di Piergiorgio una protettività di rimando che non aveva alcun motivo di sussistere, visto che il ragazzo non era piú da tempo
nell'età in cui fosse ragionevole avere ancora chi badasse
a lui; tanto piú che Maria non aveva mai veramente bada-
to a lui, e questo lo sapevano entrambi.

Per la prima volta realizzò lo sbocciare del ragazzo nel
corpo, spiando come la morbidezza dell'infanzia gli andasse svanendo dai tratti del viso sempre piú marcati, e le spalle gli divenissero piú ampie di giorno in giorno, rivelando
quella grazia naturale che era apparsa fino a quel momento solo sfocata. La porta tra le due camere smise di essere
disegnata sul muro, e le notti si riempirono di sussurri e

di risate, soffocate con la volontà guardinga di chi sa alla perfezione che quello che sta facendo non può essere dichiarato innocente fino in fondo.

Non c'era niente da nascondere tra di loro, eppure entrambi lo nascondevano con cura. Ciò che non potevano celare si vedeva la mattina a colazione, quando sia lui che Maria mostravano le occhiaie profonde dell'insonnia allo sguardo distratto dei genitori e a quello torvo e indagatore di Anna Gloria, che masticava biscotti al ritmo serrato di una rabbia crescente. Maria usciva molto meno di casa, e quando lo faceva non metteva piú i giornali sotto il cappotto, preda di una febbre ardente che se non fosse stata tanto accecata avrebbe riconosciuto, perché non era la prima volta che se la sentiva scorrere nelle vene; ma i tempi della consapevolezza per lei erano sempre arrivati come una risacca dopo l'onda, e neanche quella volta avrebbe fatto differenza.

Negli occhi adoranti di Piergiorgio si vedeva bella come non ricordava che nessuno l'avesse mai vista, bella come quel giorno con la corona di pane in testa dentro la camera profumata di sua madre, con il seno nudo e la catenina d'oro a farla apparire preziosa come una dama in un quadro, riflessa nello specchio dell'armadio. Il marito di sua sorella certo non l'aveva mai vista cosí, e persino Andría Bastíu aveva amato in lei quello che lo faceva sentire a casa: non c'era stata tra loro la confessione di segreti cosí luridi da macchiare per sempre la notte, né Maria aveva mai avuto timore di sfiorargli la mano per non svegliare il sangue che le schiumava sotto la pelle, come avveniva di continuo davanti al profilo puro di Piergiorgio. Femmina Maria aveva sempre saputo di esserlo, ma donna si scopriva in quel momento, perché non era mai accaduto che qualcuno glielo mostrasse con la furia

che Piergiorgio Gentili, con tutta la passione dei suoi sedici anni, le offriva nello sguardo a ogni occhiata.

Con il passare delle settimane, cogliendo istintivamente il pericolo dell'ostilità di Anna Gloria, lei e Piergiorgio
si fecero piú cauti e furtivi, badando a non generare situa-
zioni in cui l'ormai quasi superflua presenza di Maria in
quella casa potesse cessare a causa loro. La notte si vedevano poco e per pochi minuti, attenti come ladri a non toc-
carsi neppure per sbaglio, e poi tornavano ciascuno nel proprio letto con la colpa ancora calda di averlo desiderato per
tutto il tempo. Maria sapeva che le sarebbe bastato un gesto per portare tutto oltre gli sguardi, ed era con deliberata
cura che evitava di compierlo, attenuando quella distanza
con altre piccole intimità. Era come se entrambi avvertis-
sero che quell'istintivo cercarsi nel tempo del sonno faceva
di loro un'entità a parte nell'ecosistema della casa, un or-
ganismo troppo fragile per rischiare di ammalarlo con un
incauto scambio di febbri.

Quell'attenzione salvò Maria in molti modi, ma in un
primo momento lei non lo capí. Era troppo concentrata a
rendersi conto che il loro pendolare notturno dall'uno al-
l'altra non agiva solo sul passato ferito di Piergiorgio, ma
anche sul suo. Dove lui sembrava riuscire a stemperare certi ricordi, lei senza volerlo cominciava a svegliarne altri,
in un gioco di memorie comunicanti che si manifestava
senza logica apparente. Molte cose che credeva di aver lasciato sulla riva da cui la nave per Genova si era staccata
a suo tempo, ritornavano una dopo l'altra, come pezzi di
legno sulla spiaggia dopo una mareggiata.

La prima volta che Maria capí che qualcosa stava cam-
biando fu proprio di notte, mentre tornava in camera sua
camminando lentamente a piedi nudi. La sensazione del-

la moquette sotto la pianta le riportò d'improvviso alla
mente il pelo fulvo e ispido di Mosè, e il colore esatto degli occhi tondi del cane. I primi ricordi vennero fuori cosí,
per sensazione o distrazione, repentini e sempre di notte.
Poi la memoria cominciò ad accadere di giorno, quando
non era possibile prendersela con gli inganni del sonno se
in certe inclinazioni del sole nel soggiorno riconosceva la
luce della casa di Bonaria Urrai; lentamente tornarono a
uno a uno, visi, voci e luoghi dell'infanzia in cui era cresciuta, e Maria si scoprí ad abitarli senza chiedere permesso. Quando cuciva sovrappensiero, associava ai gesti lenti della mano l'eco di altri ricami, tracciati altrove tempo
prima, su stoffe diverse ma non in un'altra vita, per quanto si fosse ripetuta per mesi il contrario.

Non disse nulla di quel che le accadeva. Aveva la certezza che quegli scorci capricciosi di memoria a cui altri
avrebbero dato il nome sbrigativo di nostalgia non fossero cose che poteva rivelare a Piergiorgio. Ma intanto il presente e il passato tornavano a guardarsi come dopo un ar-
mistizio, facendole pesare sul petto la sorda gratitudine
dei sopravvissuti. Da anni aveva smesso di rubare le piccole cose già sue, e ora si scopriva nuovamente a nascondere qualcosa, perché tra lei e Piergiorgio il luogo della
consapevolezza non era e non poteva essere lo stesso della reciprocità. C'era una profezia amara in quel negarsi, e
Maria sapeva di essere la sola a poterla percepire. Il timore
di vederla avverata la faceva muovere intorno all'anima
del ragazzo come sulla sabbia, nel tentativo di non lasciare troppi solchi al suo passaggio. Ogni volta che lui infer-
vorato chiamava in causa tra loro l'eternità o altri scomo-
di ospiti, Maria comprendeva meglio che a dividerli non
era l'età o la condizione sociale, ma piuttosto la permanenza in lui dell'inganno infantile di confondere ciò che si de-

sidera con ciò che si possiede. Per questo, ogni volta che lasciava la sua stanza chiudendosi la porta alle spalle dopo l'ultimo sussurro, Maria rinnovava a sé stessa la rinuncia all'uomo che Piergiorgio sarebbe diventato.

L'evidenza di essere una presenza provvisoria in casa Gentili non le impedí di sentirsi mancare la terra sotto i piedi quando arrivò la lettera in cui Regina le chiedeva di tornare a casa con urgenza. Non erano che poche righe: sua sorella era brava in molte cose, ma di sicuro non a scrivere. C'era solo lo stretto necessario, e dopo averla aperta Maria se la tenne sul comodino per due giorni facendo finta che nemmeno le fosse arrivata.

Solo la terza notte trovò il coraggio di andare nella stanza di Piergiorgio a dirgli le cose come stavano, e l'ansia della perdita imminente fu tale da farle dimenticare la prudenza. Non aspettò di essere certa che Anna Gloria dormisse per aprire la porta, e bastò il lieve cigolio della maniglia a dare all'altra il segnale che aspettava da settimane. Mentre nel buio Maria si assumeva il peso della rabbia furiosa di Piergiorgio messo di fronte alla necessità della sua decisione, la luce della camera si accese improvvisamente dall'esterno, rivelandoli abbracciati sul letto in una posa confusa, ma piú che sconveniente agli occhi attoniti di Attilio e Marta Gentili. Nessuno dei due ragazzi protestò innocenza, che certo innocenti non erano, ma quale fosse il nome esatto della colpa se lo tennero stretto, per un patto che non c'era mai stato il bisogno di concordare. Il giorno dopo Anna Gloria non pianse una lacrima mentre una Maria piena di vergogna scendeva le scale con le sue cose in valigia. A Piergiorgio non era stato nemmeno consentito di uscire dalla stanza per salutarla, e il saldo dello stipendio le fu consegnato gelidamente dal padrone di casa in una busta senza referenze che lei non aprí per molti giorni; quella notte, nella nave che da Genova la conduceva a Porto Torres, l'unica busta che Maria continuava ad aprire e rileggere era quella di sua sorella Regina, che con quella frase allarmante aggiungeva al dolore del distacco il peso della responsabilità che le si prospettava all'arrivo: «Mariedda mia, torna prima che puoi: Bonaria Urrai ha avuto un'ittus, e forse muore».

Capitolo sedicesimo

L'abat-jour era spento, ma Bonaria Urrai non aveva bisogno della luce per sapere che Maria era lí nell'ombra della stanza d'ospedale, seduta da qualche parte. Difficile dire da quando avesse preso l'abitudine di sedersi a guardarla nel buio in silenzio, se l'avesse sempre avuta o se l'avesse presa in continente, nel posto dove aveva lavorato e di cui non aveva voluto parlarle. Bonaria sospettava che quel vizio di spiare le persone nel sonno Maria lo avesse preso da lei, e avrebbe voluto cedere alla tentazione di farglielo sapere, magari facendosi precedere da un rumore qualunque per svelare subito che era sveglia. Eppure qualcosa la frenò e non lo fece, come non l'aveva fatto all'inizio di tutto, prima che il tempo decidesse di sfuggirle di mano come una volpe di notte.

All'inizio di tutto.
C'era silenzio dentro la bottega, e Bonaria se la ricordava ancora Anna Teresa Listru con i capelli legati a intreccio mentre infilava le mani tozze nel sacco dei fagioli bianchi di Tonara, come dovesse sceglierli uno a uno. Commentava qualcosa di vorace insieme alla bottegaia e alla moglie del farmacista, una continentale che aveva addosso una pelliccia scura come le signore di città, e die-

tro i vetri della madia esaminava attenta i vari tipi di minestra.

In mezzo a quelle tre femmine Maria era come un niente, la scadenza che ti devi segnare o la dimenticherai. Non
aveva beneficiato nemmeno di quei commenti benevoli
che fanno le donne quando si dichiarano deliziate dai figli degli altri. Bonaria, seduta su un sacco di fave secche
in un angolo della bottega, aspettava l'arrivo del latte gior-
naliero e osservava quella bambina dimenticata muoversi
rapida tra le cose alla sua altezza: la frutta, le girandole di
plastica colorata, il grosso cesto del pane fresco, le ginocchia ruvide della madre.

Gli occhi della vecchia furono i soli a vedere che dal cesto delle ciliegie di Aritzo un pugno di frutti neri spariva
tra le pieghe del vestitino di Maria, nel segreto di una tasca bianca. Su quel volto infantile Tzia Bonaria non vide
comparire né vergogna né consapevolezza, come se l'assenza di giudizio fosse il giusto contrappasso della sua di-
chiarata invisibilità. Le colpe, come le persone, iniziano a
esistere se qualcuno se ne accorge. Maria infatti si spostò
innocente lungo il bancone dove le altre donne discutevano del prezzo rincarato dei legumi, annidandosi come un
insetto nello spazio sottile tra il culo della madre e quello
della moglie del farmacista, attratta dal pelo di bestia scura e lucida che questa si portava addosso. Lo fissava con la
bocca dischiusa, incantata dai riflessi che scorrevano sulla pelliccia lucente a ogni minimo movimento. Bonaria Urrai intuí quello che la piccola stava per fare già prima che
la mano di Maria si protendesse a commettere quel peccato soffice. Le dita della bambina si immersero nel pelo folto,
mai visto prima addosso a un cristiano, stupita che la morte
potesse essere cosí morbida. La moglie del farmacista non
diede segno di essersene accorta, tanto che Maria si sentí

autorizzata a osare di piú. Accostandosi a quel culo ingrassato dai malanni altrui, affondò il viso nel pelo nero, inspirandone l'odore avidamente. La moglie del farmacista si rese conto solo allora di tutto quel frugarle addosso ed emise un verso infastidito, attirando l'attenzione di tutti sulla bambina.

Adesso Bonaria Urrai distesa sul letto accennò un debole sorriso nel buio al ricordo di Maria improvvisamente reale, Maria divenuta consistente e vera nei peccati senza complici dei bambini soli. Non la vide piangere quella mattina nel negozio, mentre la madre si affannava a trovare parole per spiegare quel suo fare selvatico, quell'ansia di sensi che diventava furto molto piú spesso di quanto la fame potesse giustificare:

– Non l'avessi avuta mai, che lo sa il cielo se tre mi sono sufficienti nella mia condizione...

Nemmeno quell'aborto retroattivo suscitò qualcosa di evidente sul viso di Maria. Rimase immobile con l'incoscienza indolore di chi non è mai nato veramente, mentre sulla stoffa bianca del vestito cominciava a fiorire il colore delle ciliegie rubate, in corrispondenza della tasca destra. Un rosso rivelatore che si allargava come una ferita, e in certi punti era quasi nero. Quella macchia sembrava di lei l'unica cosa in divenire, un osceno menarca di frutta. La bottegaia se ne accorse per prima.

– Hai preso ciliegie dal cesto?

Anna Teresa Listru si rese conto dello scempio sull'abito della figlia mentre già lo schiaffo arrivava a destinazione. La bambina chiuse gli occhi solo l'attimo del colpo, poi li riaprí e lo sguardo era fermo, una mano ferocemente confitta in tasca a esasperare la macchia esterna. Le lacrime erano lí, ma non scesero.

– Giulia, scusami, non so cosa dire, mettimele in conto...

– Figurati, capita, sono bambini, – minimizzò la commerciante dietro il banco. – Certo però che quella mano malandrina… – aggiunse maligna con un mezzo sorriso.

Piú ancora del resto, fu quel rosso sulla taschina ricamata a far capire a Bonaria Urrai che forse il tempo della sterilità era finito, e non passò nemmeno una settimana prima che andasse a parlare ad Anna Teresa Listru della possibilità di prendere Maria a fill'e anima. Aveva fatto in modo di accompagnarla con un'offerta tale che alla vedova di Sisinnio Listru non venisse nemmeno la tentazione di dirle di no. Bonaria del resto si era dedicata sin da giovane alla sartoria perché se c'era una cosa che sapeva fare bene era prendere le misure alla gente. Anche in quel caso non si era sbagliata: Anna Teresa Listru accettò il patto senza discussioni, e dieci giorni dopo Maria occupava già la sua camera nella casa padronale degli Urrai, senza nemmeno essere stata avvisata che le si prospettava un cambio definitivo nello stato di famiglia.

A distanza di tutti quegli anni, Maria non era ancora certa di avere compreso fino a che punto il corso della sua vita fosse stato deviato da quella scelta. L'unica cosa che era stata messa in conto sin dall'inizio era quel letto, al cui capezzale la sua presenza aveva ora il peso di un compimento. Stanca di far finta di credere che Bonaria dormisse, si accostò al cuscino mormorando:

– Lo so che siete sveglia. Volete che vi porti qualcosa?

Bonaria spalancò le pupille annacquate da un velo di cataratta, e vide di Maria solo la sagoma incerta. Non c'era luce sufficiente nella stanza, ed era cosí da giorni, perché il medico aveva detto che la luce forte poteva causarle mal di testa, come se il problema di Bonaria fosse l'emicrania. Le sarebbe venuto da ridere se avesse potuto farlo, ma l'ictus le aveva lasciato una paresi al volto che le impediva persino un movimento cosí semplice. Per sorridere, le aveva detto Dottor Sedda, ci volevano non ricordava quante decine di muscoli diversi, e lei aveva perso la mobilità di quasi tutti.

– Acqua... – pensò di aver detto.

Maria la comprese dal biascichio delle vocali, e le avvicinò alla bocca il bicchiere con la cannuccia; l'infermiera non era ancora arrivata a metterle la flebo per l'idratazione nel braccio. Con uno sforzo Bonaria tirò su l'acqua dal bicchiere, ma l'incapacità di controllare il movimento delle labbra gliene mandò una parte nel naso, e una parte fuori. Tossí violentemente, mentre Maria cercava di sollevarla per agevolare la deglutizione della poca acqua che era riuscita a far entrare in gola.

Bonaria era in quelle condizioni da quasi due mesi, e l'età molto avanzata impediva ai medici di essere ottimisti su un eventuale miglioramento.

Il rientro di Maria in Sardegna non aveva stupito nessuno. «È il debito del fill'e anima», dicevano a Soreni come fosse un destino a cui era impossibile sottrarsi. In realtà in pochi avevano creduto che sarebbe davvero tornata a saldarlo. Dal modo frettoloso con cui aveva lasciato il paese, si era persino vociferato che fosse andata via perché era incinta di Andría Bastíu, che quei due erano sempre insieme, e il fatto che non ci fosse la minima prova era per alcuni la certezza piú chiara. Comunque, tutti avevano pensato che tra le due donne fosse accaduto qualcosa che aveva infranto il patto sacro dell'adozione, facendole ritornare allo stato di orfana senza dote e vedova senza figli.

Invece la figlia di Anna Teresa Listru era tornata, e sembrava averlo fatto proprio per pagare il debito nel momento del bisogno; questo le restituiva davanti alla comunità quel diritto all'eredità che diversamente non le sarebbe stato lecito esigere, e non c'era niente di male nel supporre che lo avesse fatto proprio per quello. Dal punto di vista ereditario, fortunata Maria poteva dirsi di sicuro, ma la sua fortuna non era valutata tanto sul volume dei beni che le sarebbe spettato, quanto sul tempo necessario ad accudire la vecchia Urrai prima che il Signore stabilisse che aveva mangiato pane a sufficienza. C'erano state figlie che si erano giocate gli anni migliori della gioventú appresso a vecchie tiranniche che non si decidevano a morire, e l'ironia del destino aveva fatto ereditare loro ingenti fortune in un'età in cui non avevano piú alcuno sfizio da levarsi. Ma non era il caso di Maria, perché Bonaria Urrai stava chiaramente piú di là che di qua. Non mangiava nulla che dovesse essere masticato, e la paralisi al lato destro del corpo le impediva di alzarsi e occuparsi della sua igiene personale. Maria faceva tutto con una dedizione che manco una figlia, e sulle porte delle case la sera tra le anziane si elogiava il suo spirito di sacrificio, che l'avrebbe santificata in misura sempre maggiore via via che si fosse trasformato in martirio.

In realtà Maria, che si sforzava di svolgere ogni cosa ostentando la massima serenità, era terrorizzata all'idea che Bonaria morisse, e la vecchia la conosceva troppo bene per non essersene resa conto. Non parlavano, non lo avevano mai fatto da quando Maria era tornata – e del resto la vecchia non ci riusciva ancora – ma si guardavano spesso nella penombra della stanza, e avevano scoperto che era un modo di comunicare che faceva risparmiare molti equivoci. Le parole che si erano dette la sera in cui la famiglia Bastíu piangeva Nicola erano ancora lí tra loro, ma era chiaro che Maria attendeva, anche se non c'era alcuna speranza che Bonaria tornasse a parlare in maniera comprensibile.

Quando dopo quattro mesi era ormai evidente che non sarebbe migliorata, la vecchia fu dimessa e i medici permisero a Maria di portarla a casa, dopo averle spiegato come doveva occuparsi di lei in condizioni che vennero definite stabili. Voleva dire solo che Bonaria era ferma sull'orlo della morte, ma Maria in un primo momento si rifiutò di comprenderlo, e la trattò come una convalescente, con una tale dedizione che dopo qualche settimana la capacità di movimento delle labbra di Bonaria migliorò tanto da permetterle di articolare parole semplici, e chiedere quello che le occorreva. Bonaria Urrai dal canto suo sentiva che c'erano cose tra loro che sarebbe stato necessario dire, ma che con tutta probabilità non avrebbero mai piú potuto esser pronunciate.

Con il lento protrarsi del suo stato di immobilità, fu chiaro che Bonaria apparteneva a quella razza di vecchi destinata a spegnersi lentamente, e se per don Frantziscu Pisu avere il tempo di riflettere e chiedere perdono dei propri peccati sarebbe stata una benedizione, per la vecchia accabadora non lo era di sicuro. L'anziano prete venne a trovarla un paio di volte e biascicò sul suo corpo paralizzato una sequenza di giaculatorie in latino di cui conosceva la pronuncia solo per metà; Bonaria apprezzò la sua buona volontà, lo lasciò fare, ma quando se ne fu andato riuscí a far capire a Maria che non avrebbe gradito ulteriori visite da parte del sacerdote.

Col tempo anche le visite dei curiosi si diradarono, e ad accudire Bonaria restò solo Maria, aiutata di quando in quando dalle mani esperte di Giannina Bastíu. La vecchia dimagriva, e ciononostante sollevarla dal letto era la parte piú complicata, perché la delicatezza delle ossa era tale da rischiare una frattura anche solo per una presa piú robusta del solito.

Passò quasi un anno di quel languire, prima che Bonaria Urrai entrasse in agonia senza aver mai detto a Maria una sola parola di quelle che voleva pronunciare. Si mantenne lucida, ma erano solo gli occhi a potersi esprimere. Dopo tutto quel tempo, Maria non aveva bisogno nemmeno di un gesto per capire di cosa aveva bisogno. Dormiva con lei nella stanza e si alzava piú volte durante la notte per verificare che fosse viva, e appena riceveva un segno anche minimo di conferma tornava a tranquillizzarsi sulla sua branda.

Fu durante una di quelle notti che Bonaria Urrai si mise a gridare. Non erano esattamente grida, ma i mugolii che le uscivano dalla bocca avevano una nota di disperazione violenta. Maria si alzò dalla branda, e capí subito che quello che Bonaria voleva non era acqua. Nelle ultime settimane i dolori si erano acuiti, e il corpo era diventato cosí delicato che anche un semplice massaggio sarebbe stato sufficiente a sbriciolarle le ossa ormai fragilissime. Soffriva molto, e se fino a quel momento si era lamentata poco, ora sembrava non farcela piú; le sue pupille dilatate cercavano il volto di Maria con famelica disperazione. Maria si scoprí molto meno forte di come aveva sempre creduto di essere. I suoni che emetteva la vecchia la tormentavano al punto che la prima notte fu costretta a uscire dalla stanza per non sentire i suoi rantoli. La seconda notte invece si fece forza e rimase, provando a blandirla come poteva. Fu inutile, e la terza notte Maria pianse da sola sulla sua branda; Bonaria la sentí con chiarezza, e mugolò cosí forte che Maria credette che sarebbe morta di sfinimento, e quasi se lo augurò; invece alla mattina la vecchia era ancora dolorosamente viva. Dopo due settimane di quella tortura, la ragazza cominciò a comprendere cosa intendeva Bonaria Urrai tre anni prima quando le aveva detto «Non dire mai: di quest'acqua io non ne bevo».

Capitolo diciassettesimo

Protezione o colpa. A Soreni erano questi i soli motivi che facevano penare la morte, e Maria non sapeva quale dei due impedisse davvero a Bonaria Urrai di andarsene. Nel dubbio, affrontò prima di tutto quello che poteva gestire. Come aveva fatto Bonaria anni prima per lei, liberò i ripiani dalle statue del sacro cuore e dell'agnello mistico, e portò via l'acquasantiera con l'altorilievo di santa Rita. Tolse tutti i quadretti a soggetto religioso dai muri della camera, recuperò le immaginette dalle pagine dei libri e dal fondo dei cassetti, slacciò dalle maniglie delle porte qualunque nastro verde, stanò dagli angoli ogni pezzo di corno che fosse stato posto a guardia degli spiriti, ma soprattutto portò via la palma benedetta della settimana santa appesa dietro la porta, completamente secca ma non per questo innocua. La vecchia non indossava scapolari o altri oggetti che potessero trattenerla, tranne la catenina del battesimo, che Maria ebbe cura di sfilarle dal collo con delicatezza mentre l'altra la fissava senza una protesta. Dopo quella bonifica, attesero. Per le due settimane successive Bonaria, così magra da ridursi alla semplice spina dorsale, continuò a vivere in sospeso sul crinale del trapasso, ma non cadde.

Man mano che scorrevano i giorni, nell'impotenza piú totale Maria si convinse che tra i due motivi di agonia, quello che tratteneva in vita Bonaria Urrai non era la pro-

tezione. La notte in cui lo comprese andò a sedersi sulla
sedia accanto al letto dell'anziana sarta, guardandola in silenzio. Bonaria dopo qualche minuto aprí gli occhi velati,
e la fissò.

– Cosa devo fare? – la domanda era un sussurro.

La vecchia sembrò voler articolare qualcosa, ma dalla
bocca le uscí solo un respiro stentato. Maria s'inginocchiò
accanto al letto puntellando i gomiti sulla coperta, da cui
sentí levarsi l'odore aspro della vecchia, forte come mai
prima. Quando parlò, lo fece con deliberata lentezza:

– State penitenziando qualcosa che avete fatto, Tzia.

A quelle parole gli occhi di Bonaria si chiusero, in una
simulazione di sonno a cui Maria non credette neppure per
un attimo. Le prese una mano.

– A chi?

Le palpebre rimasero chiuse, e la mano che Maria stringeva non ebbe un solo movimento. La sfiorò il pensiero
che la morte non avrebbe potuto aggiungere nulla di piú a
quell'assenza.

– Non vi si consente di andare perché avete debiti, ma
li conoscete solo voi. Io posso andare casa per casa a do-
mandare scusa al posto vostro, e quando tutto questo fi-
nirà, saprò di essere entrata in quella giusta.

La vecchia reagí a quelle parole come a una minaccia,
spalancando gli occhi annebbiati per puntarli nuovamente al volto della figlia adottiva. La mano si contrasse in
uno spasmo sorprendentemente vigoroso e Maria, che non
si aspettava quella resistenza, vi colse una conferma. Per-
ciò soggiunse:

– Comincerò dai Bastíu.

Bonaria Urrai emise un rantolo che suonò come un grido. Decisa a capire, Maria non si alzò dal capezzale a cui
era ancora genuflessa.

– Non volete?

L'anziana donna mosse appena il capo, ma il diniego era piú che evidente.

– Non capite che è quello che vi impedisce di andarve· ne in pace?

Bonaria fissò Maria senza altro segno che la determinazione dello sguardo, in cui non vi era l'ombra visibile di alcun rimorso. Al cospetto di quella volontà tangibile, per un istante i loro ruoli si invertirono, e Maria si sentí come se a essere paralizzata fosse lei. Le lasciò la mano con delicatezza, liberando la propria dalla presa spasmica della vecchia.

Per qualche giorno Maria fece come se quella conversazione non avesse avuto luogo, agendo con la solerzia di sempre. La puliva, la nutriva e le pettinava i pochi e sottili capelli rimasti sul cranio fragile, parlandole del tempo e delle poche novità del paese, come se Bonaria se ne fosse mai interessata. La vecchia soffriva di crampi e altri dolori, specialmente di notte, ma nessuna sofferenza sembrava destinata a esaurirle le forze definitivamente. Bonaria Urrai continuava a vivere, e non c'erano santi.

Quando venne il momento Maria riprese il discorso, dopo averle imboccato con attenzione l'ultimo cucchiaino pieno di pera ridotta a purea. Inappetente, Bonaria ne aveva rifiutato la metà, e Maria sapeva che entro un'ora al massimo l'altra metà l'avrebbe rimessa sul bavaglio che le lasciava apposta indosso.

– Avete pensato a quel che vi ho detto? – disse posando il piatto sul comodino.

La vecchia non fece finta di non capire, e anzi la sua immobilità costituiva un assenso chiaro.

– Tzia… – mormorò Maria avvicinandosi di piú al letto. – Io non ce la faccio a vedervi cosí. Se potessi fare qualcosa…

Con fatica Bonaria le prese la mano, e la strinse quanto le sue forze le permettevano. Non era una presa forte, ma aveva qualcosa di spiritato che costrinse Maria piú di una morsa. La vecchia provò ad articolare qualche parola, e lei si fece piú vicina per coglierne il senso. Alla guancia, come una carezza incerta, le arrivò un fiato lieve, ma nessuna parola chiara. Provò a cercare nei suoi occhi il senso di quel respiro, ma nell'istante stesso in cui incontrò lo sguardo della vecchia, si pentí di aver voluto capire. Bonaria Urrai la fissava con un'intensità tale da costringerla a distogliere lo sguardo.

– Chiedetemi quello che posso fare, – mormorò spaventata.

Quando fu certa che non avrebbe avuto risposta si allontanò dal letto con il piatto in mano, compiendo il percorso verso la cucina con il cuore che le batteva come un maglio sul ferro caldo.

Quella sera stessa andò a casa dei Bastíu a cercare Andría. Si erano visti qualche volta dal suo ritorno, ma sempre con la circospezione dei derubati, incapaci di far rivivere la confidenza che li aveva resi complici degli inconfessabili delitti di cui sanno macchiarsi i bambini, prima che si dia loro a intendere che sono innocenti. Nonostante Giannina venisse qualche volta ad aiutarla con Bonaria, Maria non metteva piede in casa Bastíu dal giorno della morte di Nicola.

Andría non sembrava stupito di quella visita, e la accolse con una certa malcelata freddezza. Era molto piú alto di come Maria lo ricordava, con un filo di barba sul viso che gli dava un'aria corsara del tutto incongruente con gli occhi buoni, rimasti identici a come Maria li ricordava. Fu quel pensiero a darle la forza per dire quello che era venuta a chiedere, e quando ebbe terminato Andría si alzò bruscamente dalla sedia, infilandosi le mani nei jeans.

– Te lo ha chiesto lei?

– Ma se non parla...

– Non è una risposta. Ti ha fatto capire che voleva che lo facessi?

Maria esitò a rispondere, ma non aveva intenzione di mentire.

– No, al contrario –. Poi aggiunse subito: – Ma sono sicura che il motivo per cui continua a soffrire è questo.

Andría scosse la testa con vigore, poi la guardò serio, niente affatto disposto a venirle incontro.

– Non ha senso, e tu ti comporti come una vecchia superstiziosa. Se non crepa è perché non è l'ora.

Maria a quelle parole crude ebbe un moto incontrollato di insofferenza, e si alzò in piedi a sua volta. Nella stanza sembravano due cani ingabbiati in cerca dello spunto per azzannarsi. Ma quella debole era lei, e lo sapeva.

– Magari se ti vedesse, se le parlassi... Vieni a trovarla!

Nella voce della ragazza c'era una nota di autentica disperazione che lui colse, ma non mostrò di averne pietà. Quando replicò, gli emerse tra le parole qualcosa di feroce che fece capire a Maria la portata della menzogna riguardo al tempo che aggiusta le cose.

– Ti ha fatto male il continente, Mariedda nostra. Sei diventata arrogante con i peccati degli altri. Non ti è mai venuto il dubbio che forse non c'è niente da perdonare?

Maria gli ricambiò lo sguardo sorpresa e ferita, aprendo la bocca per dire qualcosa. Poi la richiuse senza una parola, e Andría allora la incalzò.

– Perché sai, ti vedo cosí sicura del tuo... magari ti sbagli, e in cielo non si giudica come giudichi tu.

– Credevo che avresti capito... era tuo fratello!

– Certo che era mio fratello. E voleva morire.

Si guardarono, il viso di Maria era incredulo, quello di Andría teso e duro.

– Anche tu sei cambiato. Quel giorno non l'hai detta questa cosa.

– Si cresce tutti, Marí. O cosa credevi, che saresti sempre stata tu quella furba?

Il complice dei suoi giochi d'infanzia era perso, davanti le stava un estraneo con piú di una vendetta da consumare fredda. Maria si sentí affranta, ma soprattutto stupida.

– Ho sbagliato a venire. Adesso non so neppure perché l'ho fatto, scusami…

Se ne andò senza aggiungere altro, e lui non l'accompagnò nemmeno alla porta, rimanendo seduto sul divano rigido del salotto dove l'aveva accolta, scegliendo appositamente la stanza per gli estranei, per le visite moleste e per le veglie funebri, se ne arrivavano.

Quando Bonaria sentí la porta di casa aprirsi, il pensiero che Maria potesse non essere sola le fece scorrere nelle vene quel poco di adrenalina che il suo corpo era ancora in grado di produrre. Ma la porta si chiuse ed entrò solamente la ragazza, con uno sguardo sconfitto. Quella sera Maria preparò la cena per sé e la consumò da sola davanti al camino, poi entrò nella camera di Bonaria per verificare lo scorrimento della flebo; quando nella penombra dell'abat-jour gliela sostituí, la vecchia non diede nemmeno segno di essersene resa conto. Poi andò in camera sua e pianse tutta la rabbia e il dolore che aveva in corpo. Pianse cosí tanto da non ricordare piú se stava piangendo per le cose in agonia, o per quelle già andate.

Una settimana dopo Bonaria Urrai entrò in coma. Dottor Mastinu disse che ormai non mancava molto, e Maria non aveva la giusta disposizione d'animo per fargli notare che aveva detto la stessa cosa sei mesi prima. Don Frantziscu chiese se doveva venire per l'estrema unzione, e da come Maria rispose che glielo avrebbe fatto sapere al momento opportuno, il prete capí che il momento opportuno non sarebbe mai giunto, ma ebbe il pudore di nascondere il sollievo.

La convivenza di Maria con il corpo vivo di Bonaria Urrai era un lamento di una nota sola, e nessuno tranne lei sembrava capace di udirne il suono. Continuò a fare quello che aveva fatto fino a quel momento, interpretando l'attesa con la metodicità visionaria di chi costruisce le case prima che esistano le strade che dovranno condurvi. Nonostante le parole del dottor Mastinu, tre mesi dopo Bonaria Urrai restava ancora prigioniera di sé, come sospesa a un filo d'acciaio, sottile da non vedersi e robusto da non spezzarsi. E la figlia adottiva lo era con lei.

Fu alla fine di una giornata passata a ricamare lenzuola per le nozze di qualcuna e celebrare rabbie premurose intorno al corpo inerte della vecchia, che qualcosa in Maria vacillò. L'impensabile l'assalí mentre cambiava la federa vecchia ai cuscini del divano con una fresca di bucato. Fu la morbidezza stessa del cuscino a lusingarla, niente di particolare, ma per quel filo di fiato forse sarebbe stato piú che sufficiente. L'immagine fu breve, ma cosí intensa che Maria dovette sedersi, ansimando del suo stesso osare. Lasciò cadere il cuscino per terra e lo fissò come una serpe velenosa. Da quel momento si mosse circospetta intorno al letto, osservandosi guardinga in ogni gesto, timorosa di sé. Il pensiero tornò ancora e sempre repentino, a volte mentre dormiva, altre invece di giorno mentre faceva cose comuni, gesti innocenti in cui si nascondevano possibilità feroci che non aveva nemmeno mai supposto. Cominciò ad aver paura di restare sola di notte nella camera di Bonaria. Nelle settimane che seguirono, l'idea di agire per porre fine alla prigionia di entrambe si fece via via meno ostile, e ogni volta che il pensiero si affacciava alla mente sembrava perdere un po' i contorni del sacrilegio, per assumere quelli più sfumati della possibilità.

In casa dei Gentili, nelle notti passate a parlare con Piergiorgio, Maria aveva compreso che molte delle cose che accadono non sono che parodia delle cose pensate, e per questo, da quando Bonaria Urrai era entrata in coma, sapeva bene di averla uccisa decine di volte senza che nessuno se ne fosse accorto, nemmeno il dottore, che pure veniva con regolarità a verificare lo stato di quella decomposizione senza morte. Fu credendo di aprire a lui che una mattina di giugno Maria si trovò davanti la figura alta e robusta di Andría Bastíu.

– Ciao, – disse lui fermo sulla porta.

– Ciao... – lei lo guardò, troppo sorpresa per ricordarsi di mostrare ostilità.

– Posso entrare? – la domanda le ricordò la buona educazione.

– Ma certo, scusami. Vieni, è solo che...

– Non mi aspettavi, – concluse lui pacato.

Maria lo fece entrare in cucina, e Andría si diresse al posto che negli anni era stato suo, vicino al camino dove Mosè, ormai senza divieti, dormiva placidamente. Si fermò accanto al cane, ma non si sedette.

– Accomodati, ti preparo il caffè, – gli indicò la sedia.

– Lascia perdere il caffè, non sono venuto per quello.

– Allora perché sei venuto? – lo fissò.

Il figlio unico dei Bastíu si mosse appena sulla sedia, prima di fare un cenno in direzione del corridoio.

– Per vederla.

A quelle parole a Maria venne da sorridere, una specie di smorfia amara che le increspò il viso solo per un attimo.

– Adesso vuoi vederla...

– Permettimelo, ti prego.

Sembrava svanita la rabbia di Andría verso di lei, come se gliel'avesse riversata tutta addosso quella sera prima di Natale, quando a pregarlo di venire era stata lei. Con un sospiro stanco Maria annuí, e lui la seguí lentamente lungo il corridoio, misurando i passi sui suoi. La camera era in penombra, anche se ormai Bonaria non pativa piú né luce né buio. Il corpo ridotto alle sue funzioni elementari era cosí minuto che il letto sembrava pronto a inghiottirselo tra le coperte. Andría stette un istante sulla soglia, guardò Maria in cerca di un cenno e poi si accostò al capezzale di Bonaria. La ragazza non fece niente per impedirglielo, neppure quando lo vide piegarsi sul cadavere vivo. Andría non si sedette accanto al letto, si inginocchiò sul tappeto per farsi piú vicino, come a vederla meglio. Maria avvertí l'impulso di lasciarlo solo e uscire, ma lui se ne accorse.

– Resta, – disse, e a nessuno dei due parve strano che a dare il permesso fosse stato lui.

Maria non replicò, e rimase in piedi accanto alla porta, mentre Andría in silenzio guardava il volto emaciato dell'accabadora di Soreni. Gli vide chinare le spalle fino a posare il capo sulla coperta senza però abbandonarvelo, come temesse di schiacciare il corpo fragile che c'era sotto, in un gesto di tenerezza che rivelò a Maria la parte di lui che credeva persa. Rimasero cosí per un tempo necessario e impreciso, lei in piedi a guardare, lui in ginocchio a respirare. Poi Andría si alzò, e sfiorò appena la mano inerte della vecchia in coma. Maria aprí la porta, ed entrambi uscirono senza scambiarsi una parola fino alla soglia di casa.

– Grazie, – disse Andría.

– Di nulla... – si sorprese a dire Maria, disarmata dal tono mite che lui aveva usato. – Se vuoi venire, qualche volta...

Lui scosse la testa.

– No, non serve, mi bastava vederla cosí. Ma se invece tu hai bisogno di uscire, di prendere aria... – si interruppe, con un imbarazzo che gli stava addosso come un guanto. – ...insomma, sai dove sono.

Lei gli sorrise, e quando tornò in casa si sentiva il cuore molto meno pesante. Per una misteriosa associazione di senso con la visita di Andría, il pensiero che da settimane la divorava come un verme aveva bucato la soglia della sua potenzialità, ed era divenuto decisione chiara. Entrando in camera trovò il cuscino in attesa sulla poltrona accanto al letto e lo prese, poi si avvicinò con la certezza che stavolta nessun senso di colpa l'avrebbe fermata. Forse fu il gesto di tenerezza che aveva visto compiere ad Andría a spingerla a chinare il capo verso il volto di Bonaria prima di agire, sfiorandole la guancia con le labbra con una levità che non sentiva di aver mai avuto da quando era tornata a casa.

Ci sono cose che si sanno e basta, e le prove sono solo conferma; fu con l'ombra netta di una intuizione che Maria Listru seppe con certezza che sua madre Bonaria Urrai era morta.

Nei giorni a seguire venne tutto il paese alla veglia funebre dell'accabadora di Soreni, nemmeno gli storpi di guerra mancarono al funerale. Anna Teresa Listru si pavoneggiò per tutto il tempo di un dolore che assolutamente non provava, confidando nella ricchezza caduta in mano di Maria, quella figlia che dal suo piú grosso errore credeva ora mutata nel migliore dei suoi investimenti. I Bastíu, nessuno escluso, piansero invece la salma con autentico dolore, e il prete Pisu cercò a fatica nei piú profondi anfratti della sua povera retorica le parole per non dire che quella donna, a suo parere, non andava nemmeno sepolta in camposanto.

Come le aveva insegnato Bonaria, Maria Listru Urrai indossò il lutto con discrezione. Quando passò anche la messa del settimo giorno e ogni cosa era stata eseguita secondo le necessità, si prese appresso Mosè e andò a chiamare Andría. Senza parole camminarono insieme fino al vigneto di Pran'e boe, fino al confine di pietra dove avevano trovato la fattura che avrebbe dovuto fermare per sempre il confine spostato. Le pietre del muretto non si erano in effetti mai piú mosse, ma non c'era rimasto nulla che potesse ancora considerarsi al suo posto. Andría ci si sedette sopra. Maria invece si accomodò per terra con il cane accanto, appoggiò le spalle al muretto guardando verso le viti e chiuse gli occhi nel sole.

A seconda di come tirava il vento, l'odore delle stoppie tagliate li raggiungeva piú intenso, e in alto nel cielo si udivano le strida degli uccelli che vedevano il mare oltre le colline. Maria avvertiva le sporgenze sconnesse delle pietre contro la schiena, Andría le sentiva sotto il sedere, ma nessuno dei due sembrava aver fretta di trovare una posizione piú comoda. Poi lei con un gesto agile si alzò in piedi, e facendo qualche passo protese il viso alla brezza che spirava dal mare, accarezzando le vigne piú a valle. Il vento le muoveva la gonna scura in una danza incerta e lei lo inspirò, trattenendolo nei polmoni. Andría rimase a guardarla in silenzio, poi a mezza voce chiese:

– Cosa farai adesso?

– Quello che so fare: la sarta.

– Resti qui, vuoi dire…

– Me ne sono andata mai, Andrí? – disse lei voltando-
si a guardarlo.

Nel suo profilo sottile lui riconobbe qualcosa di compiuto che gli era familiare, e sorrise. Insieme come erano
arrivati, tornarono a casa fianco a fianco, del tutto incu-
ranti di dare alle bocche di Soreni l'ennesima occasione di
parlare di niente.

Ringraziamenti.

A Giacomo Papi, Paola Gallo e Dalia Oggero, per averci creduto subito.

A quanti mi hanno aiutato a rileggerlo attraverso i loro occhi: Alberto Masala, Fabrizio Elo Gagliarducci, Teo Nakkio Miavaldi, Arianna Giorgia Bonazzi, Riccardo Nin Turrisi, Giulia Blasi, Roberta Scotto Galletta, Marco Volpe Schirra, Alessandra Raggio, Tonina Lasiu, Valerio JDM Giardinelli, Marzia D'Amico, don Francesco Murana, e Maso Notarianni.

Ad Alessandro Giammei, mio prezioso catalizzatore.

A don Giuseppe Pani e don Antioco Ledda per la consulenza liturgica e antropologica.

A Marcello Fois, per avermi guarita dalla paura di usare il mio sardo.

A Giulio Angioni, per avermi costretta a rivedere qualche certezza di troppo sull'accabadora.

A Tzia Peppina Fròri, per avermi spiegato come si fa un affumentu.

A Luis Pellini, per avermi ispirato la figura di Nicola Bastíu.

A Benito Urgu per avermi dato il suo talismano, e alla Maestra Lucia per aver predetto tutto prima di tutti. A Patrizio Zurru e Daniele Pinna dell'agenzia Kalama per il modo mirabile in cui hanno svolto il lavoro di *mindguard* mentre stendevo la storia.

Voglio ringraziare inoltre quanti mi hanno aperto le loro case perché potessi scrivere mentre ero in viaggio, il che è avvenuto molto spesso: Silvia Fontana e Giorgio Vannucci a Lari, Gennaro ed Enrica Ferrara a Roma, Giordana Melú Bassani a Treviso, il ristorante Le Dune a San Giovanni di Sinis, Furriola Demuru e la libreria Piazza Repubblica a Cagliari.

Un grazie speciale a mio marito Manuel, perché un altro a questo libro non avrebbe resistito.

Stampato per conto della Casa editrice Einaudi
Presso Mondadori Printing S.p.a., Stabilimento N.S.M., Cles (Trento)

C.L. 19780

Ristampa				Anno			
	20	21		2010	2011	2012	2013